101

CANÇÕES QUE TOCARAM O BRASIL

101

CANÇÕES QUE TOCARAM O BRASIL

Nelson Motta

com colaboração de
Antônio Carlos Miguel

ESTAÇÃO BRASIL

REVISÃO: Ana Grillo, André Marinho e Hermínia Totti

CAPA, PROJETO GRÁFICO E DIAGRAMAÇÃO: Laura Daviña e Natalia Zapella

CONSULTOR ICONOGRÁFICO: Antônio Carlos Miguel

PESQUISA ICONOGRÁFICA: Isabela Mota

TRATAMENTO DE IMAGENS: Trio Studio

IMPRESSÃO E ACABAMENTO: RR Donnelley

CIP-BRASIL. CATALOGAÇÃO NA PUBLICAÇÃO
SINDICATO NACIONAL DOS EDITORES DE LIVROS, RJ

M875c Motta, Nelson

101 canções que tocaram o Brasil / Nelson Motta; Rio de Janeiro: Estação Brasil, 2016.
224 p.; il.; 16 x 21 cm.

ISBN 978-85-5608-012-7
1. Cultura – Brasil. 2. Música. I. Título.

16-35645 CDD: 306
CDU: 316.74

GMT Editores Ltda.
Rua Voluntários da Pátria, 45 – Gr. 1.404 – Botafogo
22270-000 – Rio de Janeiro – RJ
Tel.: (21) 2538-4100 – Fax: (21) 2286-9244
E-mail: atendimento@sextante.com.br
www.sextante.com.br

Em memória de minha mãe, Xixa,
que me ensinou a amar a música,
e do DJ Dom Pepe, amigo e parceiro
de música e alegria a vida inteira.

BRASIL DE TODOS OS CANTOS

Na proa, sob a cruz estampada no velame, o órgão de frei Maffeo modulava uma melodia sacra – sinuosa e solene. Na praia, sob o dossel da floresta, os tupis chacoalhavam seus maracás; os guizos em seus tornozelos balançando no compasso da criação. Pouco depois, um marujo dedilhava a gaita enquanto Bartolomeu Dias dava uma cambalhota (ou "salto real") nas areias faiscantes de Porto Seguro, surpreendendo a indiada. Mas não tanto quanto os nativos iriam estarrecer os portugueses tão logo soprassem suas flautas: elas eram feitas das tíbias dos inimigos que eles haviam devorado.

A trilha sonora do descobrimento do Brasil foi polimorfa, polifônica, ritualística e, é claro, antropofágica. Soou, desde o primeiro dia, como uma amostra rumorosa do que estava por vir: o nascimento de uma nação destinada a se tornar uma das mais musicais do mundo, na qual todos os cantos, todos os ritmos e todas as vozes afinaram-se para fazer com que o planeta, mais do que somente girar, bailasse... Claro que, naquele alvorecer, quando lusos e tupiniquins cantaram e dançaram juntos, ao som do mar e à luz do céu profundo, ainda faltava o ingrediente primordial: os ritmos, as danças e os cânticos que viriam da África. Quando eles chegaram – em meio às indizíveis infâmias do tráfico de escravos –, a alquimia sonora se completou e o Brasil forjou a música que, desde então, tem ajudado o mundo a não ser tão ruim da cabeça e doente do pé.

Mas ainda seria preciso esperar quase três séculos para que o lundu africano e a modinha portuguesa concretizassem seu flerte, misturando a casa-grande e a senzala para dar à luz o bendito fruto do maxixe. Consubstanciou-se assim o mistério do samba – ou "semba": o santo batuque, a dança lasciva, o ritmo hipnótico, a pulsação do bumbo na mão dos bambas, umbigo contra umbigo, batendo no ritmo do coração.

E, no entanto, tudo era só ritmo, dança e celebração – não eram canções no sentido pleno da palavra. As canções, específicas e únicas, são fruto direto e dileto do século do individualismo e da solidão – o breve e terrível século XX. E foi quando as canções entraram em cena que a música brasileira se tornou a mais perfeita tradução do país: seu retrato mais fiel, seu mais exato reflexo. Nelson Motta, o branco gato de alma negra, homem de sete vidas e sete instrumentos, é um maduro filho do século e um típico fruto do Brasil moderno. Até porque faz cinco décadas que entrou em cena (em 1966, com sua "Saveiros"). Quase 50 canções depois, tendo vivido frenéticos *dancing days* e amenas noites tropicais, Nelsinho, sabendo que a vida vem em ondas como o mar, mergulhou no cancioneiro nacional para forjar um cânone – o *seu* cânone, pessoal e intransferível, mas pronto para ser apropriado por quem quer que o queira. E foi assim que se alinharam estas *101 canções que tocaram o Brasil*.

O desfile se inicia com uma marcha-rancho, abrindo alas para Dona Chiquinha Gonzaga passar antes do século raiar (a música é de 1899). Mas logo Nelson Motta vai ao telefone, se liga na era do rádio, sintoniza a TV, passa pelo beco das garrafas e pelo clube da esquina, vive a vida sobre as ondas numa tarde em Itapuã, assobia canções do exílio, canções de protesto e canções do amor sem fim, flertando com a garota de Ipanema até pintar sua aquarela do Brasil com a cor do pecado. Tudo com a luxuosa ajuda do pandeiro de Antônio Carlos Miguel, seu fiel escudeiro nessa jornada musical.

Quando a última letra se vai e vira-se a derradeira página, os sons ainda ecoam, convidando o leitor a entrar na parceria e recordar a trilha sonora de sua própria vida. Para, assim, cantarolar as canções que tornaram o Brasil e o mundo um lugar muito mais afinado.

— *Eduardo Bueno*

Curador da coleção Brasil 101

Sumário

Chiquinha Gonzaga: pianista e maestrina, compôs a primeira marchinha de carnaval

Ó abre alas

Chiquinha Gonzaga, 1899

Mais de um século depois do seu primeiro carnaval, "Ó abre alas" continua animando bailes, tocada em bandas e blocos, lembrada no palco e nas telas. Carnavalesca em qualquer época do ano, ela abre esta lista carregada de simbolismos: inaugura tanto a canção popular brasileira quanto um novo gênero, as marchinhas de carnaval; e foi composta por uma mulher revolucionária, ainda no século XIX. É certamente uma das que mais tocaram a alma brasileira.

Quando fez a marcha-rancho "Ó abre alas", a também abolicionista, republicana, feminista *avant la lettre* e pioneira na luta pelos direitos autorais Chiquinha Gonzaga já era reconhecida como compositora, pianista e maestrina. Ao lado de outro mestre, Joaquim Callado, foi uma das inventoras do choro – a forma brasileira de tocar polca, valsa, habanera, tango e demais estilos internacionais da época. Antes do surgimento do disco gravado e do rádio, suas músicas eram sucesso nos teatros e nas partituras para piano que ela mesma vendia nas ruas do Rio de Janeiro.

Para que esses feitos e tantos outros pudessem acontecer, Francisca Edwiges Neves Gonzaga (1847-1935) teve que bater de frente com a sociedade conservadora da época. Rompeu com o primeiro marido – e perdeu a guarda dos filhos –, casou, se separou e perdeu a guarda de outro filho de novo. Até que, em 1899, ano em que compôs "Ó abre alas", sua vida mudou, e ela abriu alas para o amor passar: com 52 anos, passou a viver com um jovem de 16, aprendiz de música, que foi seu amor e seu marido até o fim da vida, aos 87 anos, em 1935.

No início de 1899, Chiquinha morava no bairro carioca do Andaraí e, certa tarde, brincando ao piano, ouviu o som de um ensaio na sede do cordão Rosa de Ouro, vizinha à sua casa. Sucesso dos salões e dos teatros, ela já tinha feito polcas e tangos carnavalescos, mas, dessa vez, seduzida pelo ritmo percussivo e pelo canto festivo, resolveu aproveitar o grito de "abre alas", que era comum entre os cordões, para criar o que chamou de marcha-rancho. Os ranchos e os cordões eram os principais animadores do carnaval de rua no Rio do fim do século XIX, equivalente aos blocos que, hoje, voltaram e cresceram em progressão geométrica tomando a cidade. O cordão era a opção para quem não podia frequentar os salões e os bailes da sociedade – ou para quem sabia que a folia verdadeira estava na rua.

Nos primeiros anos, a música ficou restrita aos foliões do Rosa de Ouro. No início de 1904, Chiquinha adaptou "Ó abre alas" para uma peça teatral e, já no carnaval daquele ano, transbordou do palco para as ruas e a boca do povo. O sucesso abriu alas para as marchinhas, gênero que continua vivo no Brasil, e também para o choro e o samba. Sua primeira gravação foi feita em 1911, pela Banda da Casa Faulhaber & Co., num disco de 78 rpm, e classificada no rótulo como "dobrado carnavalesco".

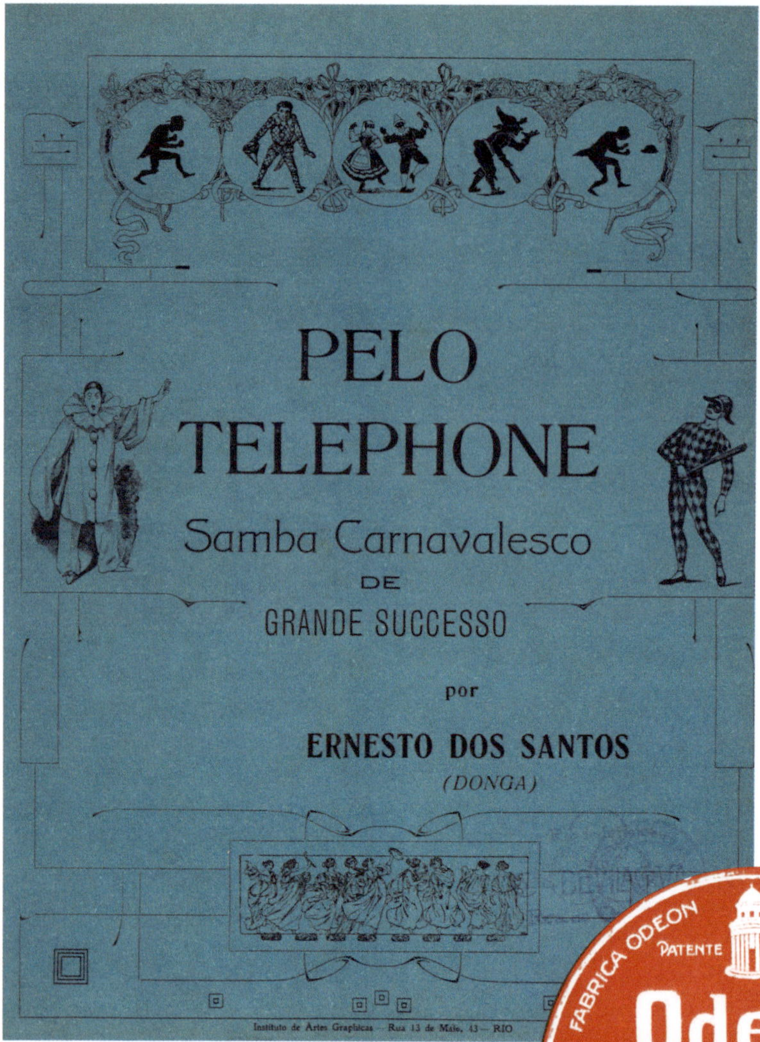

Donga foi mais rápido e registrou como seu "Pelo telefone", criado coletivamente numa roda de samba na casa de Tia Ciata

Pelo telefone

Donga e Mauro de Almeida, 1916

Houve quem afirmasse que aquilo era mais um maxixe do que um samba, mas este foi o gênero usado para classificar "Pelo telefone" nos rótulos dos dois discos Odeon gravados em dezembro de 1916, tanto pelo cantor Bahiano quanto pela Banda da Casa Edison. Além dessa ressalva, pesquisadores já encontraram registros de pelo menos dois outros 78 rpm editados antes trazendo o então recém-nascido gênero no rótulo. Mas, como ambos passaram em branco, o crédito de "primeiro samba gravado" ficou com o agora centenário "Pelo telefone". Sucesso imediato na época, este samba de terreiro, nascido numa roda no fundo do quintal da casa da lendária Tia Ciata, estabeleceu o novo padrão que passou a vigorar nos carnavais do Rio. Após as marchinhas, o samba pedia passagem para não mais sair de cena.

Se o título de "o primeiro samba gravado" é controverso, a autoria, mais ainda. Em novembro de 1916, Donga (Ernesto dos Santos, 1890-1974) entrou com um pedido de registro na Biblioteca Nacional da partitura de "Pelo telefone", classificado pelo próprio como "samba". Mas, na roda de improviso na qual a composição nasceu, também teriam estado, entre outros, Germano Lopes, João da Baiana, Pixinguinha, João da Mata, Caninha, Hilário Jovino Ferreira, Mauro de Almeida, Sinhô e a própria Tia Ciata. Gente que, claro, não gostou da esperteza de Donga.

Desde agosto daquele ano, pelo menos, versos e improvisos misturando temas do folclore nordestino e menções às ações da polícia contra o jogo começavam a ganhar forma, a se popularizar entre os frequentadores dos pagodes na Praça Onze. Donga correu antes, justificando a ação com a máxima atribuída a Sinhô: "Música é como passarinho, de quem pegar primeiro." Sob protestos de muitos, atendeu apenas a um deles, dividindo a parceria com Mauro de Almeida (1882-1956), o jornalista que ficara com a tarefa de consolidar a letra editada.

O telefone do samba começou a virar sucesso no carnaval de 1917 e continua tocando até hoje nos celulares, enquanto a polícia e o jogo clandestino comemoram um século de convivência.

Lamartine Babo botou seu tempero e transformou o frevo "Mulata" na marchinha até hoje cantada nos bailes

O teu cabelo não nega

Irmãos Valença e Lamartine Babo, 1932

Num mundo cada vez mais regido pela cartilha do politicamente correto, "O teu cabelo não nega" não teria nascido. Patrulheiros da correção iriam acusar a letra de racista, principalmente pelo trecho "mas como a cor não pega", em que os autores, buscando uma rima de sentido cômico para "nega", declaram o incontrolável amor que sentem por aquela musa multirracial que tem "um sabor bem do Brasil". Com ou sem intolerâncias, a marchinha dos Irmãos Valença e de Lamartine Babo (1904-1963) foi um sucesso espetacular no carnaval de 1932, como uma ode à beleza e ao charme da mestiça, que provoca uma guerra entre os portugueses e os marinheiros brasileiros.

"Quando, meu bem, vieste à Terra / Portugal declarou guerra / A concorrência, então, foi colossal / Vasco da Gama contra o Batalhão Naval."

Como muitas outras clássicas marchinhas, a irresistível "O teu cabelo não nega" tem um humor ingênuo e direto, que pega de primeira. A música, no entanto, tem história bem mais complexa. Nasceu a partir de um frevo, "Mulata", que tinha animado o carnaval de Recife em 1929 e foi oferecido à gravadora Victor pelos seus autores, os irmãos pernambucanos Raul (1894-1977) e João Valença (1890-1983). O então diretor da companhia de discos implicou com a letra e Lamartine foi convocado para reescrevê-la. O carioca Lalá não só trocou muitos versos como mexeu na melodia, reforçou a pulsação rítmica, aumentando seu balanço. Também registrou a canção apenas em seu nome, com o título "O teu cabelo não nega". Os Valença entraram com ação judicial, ganharam a causa e foram indenizados e adicionados à parceira.

Gravada pelo cantor e comediante Castro Barbosa, com acompanhamento do Grupo da Guarda Velha e arranjo e direção musical de Pixinguinha, "O teu cabelo não nega" foi lançada no carnaval de 1932 e desde então não para de animar ruas, blocos e salões Brasil afora.

O paulistano Vadico (no alto) e o carioca Noel Rosa: dupla cheia de feitiço

Feitiço da Vila

Noel Rosa e Vadico, 1934

Noel Rosa foi um dos inventores do samba urbano, com letras sem literatices, usando da linguagem coloquial das ruas em rimas elaboradas, que continuam atuais quase um século depois de criadas. Composto em parceria com Vadico (Oswaldo Gogliano, 1910-1962) e lançado em disco em dezembro de 1934 pelo cantor João Petra de Barros (1914-1948), "Feitiço da Vila" é exemplar da força e da beleza alcançadas por sua arte.

Com essa declaração de amor ao samba e ao bairro de Vila Isabel, na Zona Norte do Rio, onde nasceu e viveu, Noel de Medeiros Rosa (1910-1937) dava prosseguimento à sua célebre polêmica com o compositor Wilson Batista (1913-1968), que rendeu grandes canções de ambos os lados. Em 1933, o então iniciante Batista tinha apresentado suas armas com "Lenço no pescoço", samba que fazia apologia à malandragem. Noel não gostou da associação e deu início à briga com "Rapaz folgado". E, quase dois anos depois, reafirmou sua posição, acenando com um samba de "feitiço decente, sem farofa, sem vela e sem vintém".

Houve quem enxergasse, na referência pejorativa ao candomblé, traços de racismo na canção, mas a obra e a vida de Noel não deixam dúvidas. Boêmio e farrista inveterado, o Poeta da Vila esteve mais perto da malandragem, que contestou na polêmica com Batista, do que da classe média, cujo balde chutou sonoramente. Largou o curso de Medicina para fazer samba numa época em que artista era considerado sinônimo de vagabundo e malandro. Teve convivência estreita com sambistas negros, entre os quais Cartola e Ismael Silva, numa relação de parceria e amizade, sem a exploração e a compra de músicas que, então, era prática comum de tantos intérpretes e compositores brancos. Ele também trocava o dia pela noite, transitando entre a Lapa, o Estácio e os morros do Rio, e a sua paixão pela boêmia é exaltada em "Feitiço da Vila":

"O sol da Vila é triste / Samba não assiste / Porque a gente implora: / Sol, pelo amor de Deus, / não vem agora que as morenas / vão logo embora."

Adeus, batucada

Synval Silva, 1935

Samba que é automaticamente associado a Carmen Miranda (1909-1955), "Adeus, batucada" foi feito sob medida para ela por Synval Silva, em 1935. Gravado em setembro daquele ano, com acompanhamento da Orchestra Odeon, a encomenda emplacou de cara e virou o prefixo musical dos programas de rádio da cantora. Também garantiu de vez a entrada de Synval na vida da Pequena Notável, como compositor e seu motorista particular. É um samba melancólico, mesmo que "valorizando a batucada", afinal, "sambando se goza / nesse mundo", no qual a personagem lamenta a hora de largar a folia. O que explica o fato de a bela e engenhosa letra ter permitido muitas associações com a vida de sua primeira intérprete.

Quatro anos após seu lançamento, "Adeus, batucada" seria a música escolhida por Carmen para encerrar seu programa de despedida na Rádio Mayrink Veiga, antes de embarcar para os Estados Unidos e a carreira em Hollywood. E, em 5 de agosto de 1955, estaria entre as tocadas no adeus derradeiro, durante o cortejo fúnebre que parou o Rio de Janeiro. Clássico incontestável da música brasileira, desde então "Adeus, batucada" se mantém viva, com novas gravações de Ney Matogrosso, Ná Ozzetti, Gal Costa, Eduardo Dussek, Marisa Monte, Alaíde Costa e Celso Fonseca.

Mineiro de Juiz de Fora, filho de um clarinetista, Synval Machado da Silva (1911-1994) aprendeu viola e clarinete ainda criança. Na adolescência, começou a compor seus primeiros sambas e valsas. Chegou ao Rio em 1930, para morar no Morro da Formiga, na Tijuca, e se sustentar como mecânico de automóveis. Mas, sem largar a música, após sujar a mão de graxa e óleo durante o dia, prosseguia trabalhando à noite como integrante do regional Good-Bye, na Rádio Mayrink Veiga. Foi lá que, em 1934, conheceu o baiano Assis Valente, então o compositor preferido de Carmen. Naquele mesmo ano, graças à indicação do amigo, a cantora gravou na RCA Victor dois sambas de Synval, "Alvorada" e "Ao voltar do samba", e, em 1935, um terceiro, "Coração".

A carreira de Synval não se limitou aos discos de Carmen. Um dos fundadores da escola de samba Império da Tijuca, ele ainda foi gravado por outros grandes cantores da época, como Aurora Miranda, Orlando Silva, Trio de Ouro, Cyro Monteiro e Ataulfo Alves.

Mineiro de Juiz de Fora, Synval Silva foi um dos compositores preferidos de Carmen Miranda

Palpite infeliz

Noel Rosa, 1936

Outro fruto da célebre polêmica entre Noel Rosa e Wilson Batista, "Palpite infeliz" é um recado direto a seu oponente. O samba foi escrito em 1936 e gravado no mesmo ano por Aracy de Almeida.

Após o sucesso obtido por Noel com "Feitiço da Vila", Wilson voltou à carga com "Conversa fiada". Sem rodeios, ele questionava diretamente o rival: "É conversa fiada / dizerem que o samba / na Vila tem feitiço..."

O Poeta da Vila, mais uma vez, acusou o golpe e respondeu no mesmo tom: "Quem é você que não sabe o que diz? / Meu Deus do céu, que palpite infeliz!"

Farpas à parte, "Palpite infeliz" se impôs pela bela melodia, fundamento em que Noel sempre foi um mestre, e por oferecer uma crônica do samba urbano carioca em seus primeiros anos. Após os dois versos endereçados a Wilson, ele faz um mapeamento dos redutos de bambas da época ("Salve Estácio, Salgueiro, Mangueira, / Oswaldo Cruz e Matriz"), que vê como irmãos do bairro de Vila Isabel, onde nasceu e passou quase toda a sua breve e louca vida.

Morto aos 26 anos, vítima da então incurável tuberculose, Noel deixou uma grande e influente obra, que fez enorme sucesso nos carnavais, logo caiu na boca do povo e foi gravada e cantada no rádio pelos maiores intérpretes da época e por ele mesmo. No início dos anos 1950, após uma década de relativo esquecimento – período em que contemporâneos como Ary Barroso, Dorival Caymmi, Custódio Mesquita e Lamartine Babo não pararam de enriquecer a música brasileira –, os sambas de Noel foram redescobertos por meio da voz e da musicalidade de Aracy de Almeida, e voltaram a encantar as novas gerações, tornando-se referência do samba urbano e da crônica de costumes.

Contemporânea de Noel Rosa, Aracy de Almeida foi a principal responsável pela redescoberta da obra do compositor a partir dos anos 1950

Orlando Silva: então no auge de sua técnica, o cantor lançou em 1937 os dois maiores clássicos de Pixinguinha

Carinhoso

Pixinguinha e João de Barro, 1937

Esta é daquelas que parecem ter sempre existido no coração de brasileiros de diversas gerações. Mas até chegar a esse status permaneceu por duas décadas ignorada. Inicialmente sem letra, foi escondida pelo próprio compositor, Pixinguinha (Alfredo da Rocha Vianna Filho, 1897-1973), que tinha 20 anos quando, em 1917, criou a melodia. Inseguro pelo fato de aquele ser um choro fora dos padrões habituais do gênero, com apenas duas partes quando o normal eram três, ele deixou a partitura guardada na estante. Só em 1928, o também flautista, saxofonista, arranjador e maestro finalmente decidiu gravar "Carinhoso", em disco de 78 rpm lançado pela Orquestra Típica Pixinguinha-Donga. Dois outros registros instrumentais foram feitos, em 1929 e 1934, mas sem muita repercussão.

A história de sucesso sem fim de "Carinhoso" só iria começar em 1937, quando a canção foi lançada em disco por Orlando Silva, um dos grandes cantores da época, já com os versos feitos por João de Barro, ou Braguinha, como também ficou conhecido Carlos Alberto Ferreira Braga (1907-2006). Carioca de classe média, Braguinha trocou a faculdade de Arquitetura pela música popular após ter participado do Bando dos Tangarás, ao lado de Noel Rosa e Almirante.

Com letra simples, uma cantada escancarada e direta na melhor tradição romântica brasileira, "Carinhoso" foi esnobada por dois outros grandes cantores da época, Francisco Alves (1898-1952) e Carlos Galhardo (1913-1985), ambos com mais prestígio do que Orlando Silva. Este, já no auge de sua técnica vocal e pronto para se tornar o Cantor das Multidões, aceitou a missão e não se arrependeu. Lançado num 78 rpm que vinha acompanhado de "Rosa", outro clássico de Pixinguinha, o samba-choro virou um sucesso instantâneo e foi adotado como o prefixo musical do cantor. O que não impediu que, a partir daí, "Carinhoso" também entrasse no repertório de todos os grandes intérpretes brasileiros, regravado por Elizeth Cardoso, Ângela Maria, Sílvio Caldas, Dalva de Oliveira, Elis Regina, Maria Bethânia e muitos outros.

Pixinguinha: a valsa
"Rosa" era o lado B
do 78 rpm de
Orlando Silva

Rosa

Pixinguinha e Otávio de Souza, 1937

A valsa de Pixinguinha repousava esquecida na voz de Orlando Silva até Marisa Monte relançá-la em 1991, acompanhada pelo pianista e compositor japonês Ryuichi Sakamoto, em seu segundo álbum solo, *Mais*.

Uma façanha surpreendente, porque, se a belíssima melodia de Pixinguinha era de construção sofisticada, a enorme letra de Otávio de Souza já soava arcaica quando foi lançada por Orlando Silva em 1937. Tanto na construção rebuscada das frases quanto no abuso de palavras que começavam a cair em desuso, hoje relegadas aos dicionários, como "olor", "lanceado", "remir", "olente"... Mas as literatices inflamadas não impediram o retumbante sucesso na época, em grande parte ajudado por "Carinhoso", o lado A do 78 rpm lançado pela RCA Victor.

"Tu és divina e graciosa / Estátua majestosa do amor / Por Deus esculturada / E formada com ardor / Da alma da mais linda flor / De mais ativo olor / Que na vida é preferida pelo beija-flor."

Orlando teria conhecido as duas músicas quando participou de uma serenata a convite de Pixinguinha. Era a festa de um casamento em Bangu, e a certo momento da noite o compositor mostrou a letra que João de Barro tinha feito para o choro "Carinhoso" e também a então inédita "Rosa". Faro apurado, Orlando quis gravar as duas, o que fez numa única sessão, em 28 de maio de 1937, para o disco lançado um mês depois.

Na época da gravação de Orlando Silva, compositores como Noel Rosa, Ary Barroso e Lamartine Babo já tinham incorporado com sucesso a linguagem coloquial das ruas às suas canções, muitas delas usando construções e termos que poderiam ser escritos hoje. Apesar de seu romantismo exacerbado (ou por isso mesmo), "Rosa" bateu fundo no coração do público de Orlando. E refloresceu mais bela ainda cinco décadas depois na voz de Marisa, em gravação intimista, que contou apenas com o piano e os teclados de Sakamoto e a cuíca de Armando Marçal.

Nascido em Minas Gerais e radicado no Rio, Ary Barroso está entre os "inventores" da Bahia na canção brasileira

Na Baixa do Sapateiro

Ary Barroso, 1938

Gravada em 1938 por Carmen Miranda, "Na Baixa do Sapateiro" virou uma das músicas brasileiras mais executadas no mundo. Também é a segunda mais conhecida de Ary Barroso, perdendo apenas para a sua "Aquarela do Brasil", lançada um ano depois.

Mineiro de Ubá, onde nasceu em 7 de novembro de 1903, órfão de pai e mãe aos 8 anos, Ary de Resende Barroso começou a estudar piano na adolescência. Aos 12 anos, já trabalhava como pianista num cinema de sua cidade; três anos depois, fez sua primeira canção; mas, antes de abraçar definitivamente a música, por via das dúvidas, fazia o curso de Direito no Rio de Janeiro, para onde tinha se mudado aos 17 anos. Em 1929, recém-formado, o colega de faculdade Mário Reis (1907-1981) gravou duas canções suas, "Vou à Penha" e "Vamos deixar de intimidades", com tanto sucesso que o diploma de advogado de Ary foi para a gaveta e o Brasil ganhou um de seus maiores compositores.

Um dos responsáveis pela consolidação do samba urbano e moderno, o mineiro Ary também vinha sendo um dos inventores do imaginário popular da Bahia, que conheceu e por que se encantou em 1929, quando atuava como pianista na orquestra de Napoleão Tavares e seus Soldados Musicais. Sua paixão pela cultura e pelos sabores afro-brasileiros foi cantada também em grandes músicas como "No tabuleiro da baiana", "Os quindins de Iaiá" e "Faixa de cetim". Curiosamente e por linhas tortas, "Na Baixa do Sapateiro" acabou abrindo caminho para o verdadeiro baiano Dorival Caymmi. Após a gravação de Carmen, lançada em disco pela Odeon, era para a Pequena Notável também cantar o samba no filme *Banana da terra*, mas o compositor pediu mais dinheiro do que a produção oferecia. Sem acordo, o produtor Wallace Downey soube da existência de um jovem recém-chegado de Salvador, que lhe apresentou "O que é que a baiana tem".

Cinco anos após perder para Caymmi a vaga no filme de Carmen, "Na Baixa do Sapateiro" teve outra chance, dessa vez em Hollywood, na trilha sonora de *Você já foi à Bahia?* (ou *The three caballeros*, título original do filme de animação de Walt Disney). Graças a esse empurrão, e com o título de "Bahia", começou a rodar o mundo. Foram dezenas de gravações, até pelo saxofonista supremo do jazz moderno, John Coltrane, que gravou "Bahia" e assim batizou um álbum lançado em 1965, um ano após a morte do compositor mineiro e universal.

O carioca Bororó é o autor de um samba sensual, com letra ousada para a época

Da cor do pecado

Bororó, 1939

Lançado em 1939 por Sílvio Caldas, um dos cantores mais populares do Brasil, então vivendo o auge de seu sucesso e sua técnica, este samba surpreende por sua harmonia sofisticada e a sensualidade de sua letra. À frente de sua época na forma como tratou a paixão carnal, de "beijo molhado", musicalmente, "Da cor do pecado" também antecipou alguns dos fundamentos estéticos consolidados pela bossa nova. Surpreende ainda por ser uma das poucas composições conhecidas de Bororó, o carioca Alberto de Castro Simões da Silva (1898-1986), que começou a carreira quando o samba engatinhava e se manteve em atividade até o fim da vida. Sobrinho da Marquesa de Santos, ainda criança aprendeu violão com o pai e marcou presença nos saraus familiares cantando modinhas com letras de Castro Alves e Casimiro de Abreu. No início dos anos 1920, assinou suas primeiras composições para ranchos carnavalescos do Rio.

Bororó é também o autor de pelo menos mais um clássico, "Curare", este lançado em 1940 por Orlando Silva e, assim como o anterior, regravado por João Gilberto. Reconhecido pelo faro apurado para pescar no passado sambas esquecidos, no caso de "Da cor do pecado" João chegou depois, o que só confirma a excelência da composição de Bororó. Ele incluiu o samba no repertório de *Eu sei que vou te amar*, gravado ao vivo em 1994, voltando a ele no disco *Voz e violão*, produzido por Caetano Veloso em 1999. Bem depois, por exemplo, da versão feita por Elis Regina no álbum *Elis especial*, lançado em 1968.

Em 1977, Ney Matogrosso seria outro seduzido pelos versos e pelos sinuosos requebros do samba de Bororó, que foi um dos destaques no disco *Pecado*. Entre os intérpretes da MPB que também gravaram "Da cor do pecado" estão Nara Leão, Fagner e Cauby Peixoto.

Aquarela do Brasil

Ary Barroso, 1939

Quase oito décadas após seu surgimento, ela continua sendo um hino informal do Brasil. Mesmo que sua letra abuse de termos datados – adjetivos como mulato "inzoneiro", morena "sestrosa" e "merencória" luz – e de assumidas redundâncias simplórias, como o "coqueiro que dá coco". Apesar dessas ressalvas, apontadas já na época em que começou a ser conhecida, a melodia e o ritmo arrebatadores garantiram o crescimento e a permanência de "Aquarela do Brasil".

Este clássico é também o principal exemplo de um subgênero, o do samba-exaltação, que celebrava as belezas do Brasil, suas fauna e flora, gente e geografia com linguagem ufanista e grandiloquente. Lançada em pleno Estado Novo, "Aquarela do Brasil" se encaixou como uma luva à política cultural nacionalista de Getúlio Vargas. Externamente, também ajudou a vender para o mundo o lado mais solar e alegre de um país atrasado e repleto de contradições e injustiças.

O estilo exuberante do samba-exaltação já estava presente em sua primeira gravação, em 1939, no vozeirão do então Rei da Voz, Francisco Alves, e reforçada pelo grandioso arranjo orquestral de Radamés Gnattali. A partir de 1942, quando foi incluída num filme de animação de Walt Disney, *Alô, amigos*, em que também estreia nas telas o personagem Zé Carioca, a "Aquarela..." começou a dar suas pinceladas pelo mundo na voz de Aloysio de Oliveira (1914-1995). Ainda em 1942, com letra em inglês de Bob Russell e o título abreviado para "Brazil", o samba de Ary foi registrado pelas orquestras de Jimmy Dorsey e Xavier Cugat. Desde então, vem atravessando gerações e acumulando dezenas de regravações, por alguns dos principais artistas brasileiros – Carmen Miranda, Sílvio Caldas, João Gilberto, Elis Regina, Wilson Simonal, Gal Costa, Emílio Santiago, Tom Jobim, entre outros – ou estrangeiros, como Frank Sinatra, Bing Crosby, Paul Anka, Dionne Warwick, e até bandas de rock do século XXI como Arcarde Fire e Beirut.

Ary Barroso: samba-exaltação que virou o hino informal do Brasil

Assis Valente posa com Carmen Miranda, que cantou nos palcos mas não quis gravar “Brasil pandeiro”. Lançado pelos Anjos do Inferno em 1941, o samba teve nova chance com os Novos Baianos, em 1972, abrindo o LP *Acabou chorare*

Brasil pandeiro

Assis Valente, 1941

Até o fim dos anos 1930, o baiano Assis Valente (1911-1958) vinha sendo o compositor predileto de Carmen Miranda, a quem tinha entregue sucessos como "Good-bye, boy", "Minha embaixada chegou", "Fala, meu pandeiro", "Uva de caminhão" e "Camisa listrada". Em julho de 1940, na primeira visita da Pequena Notável ao Brasil após um ano de sua mudança para os Estados Unidos, Assis anunciou numa entrevista que tinha três sambas prontos, feitos sob medida para sua musa. A letra de um deles, então batizado de "Chegou a hora", com algumas poucas diferenças, era basicamente a mesma da que ficou conhecida em "Brasil pandeiro", aberta pelo verso: "Chegou a hora dessa gente bronzeada mostrar seu valor." No entanto, apesar de cantá-lo em apresentações no Cassino da Urca e na Rádio Nacional, Carmen avisou ao compositor que não iria gravar o samba.

No início de 1941, já com o nome que ficou conhecido, "Brasil pandeiro" virou disco, pelo selo Columbia, na voz dos Anjos do Inferno. Em seguida, o grupo também interpretou a música, dublada a partir da gravação original, numa cena do filme *Céu azul*, o segundo protagonizado pela dupla Oscarito e Grande Otelo. Apesar da recusa de Carmen, que o torturado Assis Valente nunca perdoou, em plena Segunda Guerra o país inteiro cantou seu samba-exaltação:

"Brasil, esquentai vossos pandeiros / Iluminai os terreiros que nós queremos sambar."

Esta é mais uma canção que voltou à vida graças a João Gilberto. Mesmo que, no caso, de forma indireta, por meio das vozes e do instrumental dos Novos Baianos. No início dos anos 1970, no apartamento em que viviam em comunidade, eles recebiam quase que diariamente, ou melhor, noturnamente, visitas do conterrâneo bossa-novista. Eram intermináveis conversas e saraus nos quais o grupo foi sendo apresentado por João a muitos grandes sambas do passado. Entre eles, "Brasil pandeiro", que foi escolhido para abrir o fundamental segundo álbum dos Novos Baianos, *Acabou chorare* (1972), pioneiro na fusão do rock com o samba e o choro.

Aos pés da cruz

Zé da Zilda e Marino Pinto, 1942

Sucesso em 1942, na gravação de Orlando Silva para a RCA Victor, este samba triste sobre uma desilusão amorosa ganhou uma segunda chance. "Aos pés da cruz" foi uma das composições escolhidas por João Gilberto para o repertório de seu álbum de estreia, *Chega de saudade*, que, lançado em 1959, é o marco divisor da bossa nova. E foi além: gravada pelo gênio Miles Davis em 1962, abriu as portas do melhor jazz norte-americano para aquele estilo.

No histórico *Chega de saudade*, em meio às novidades apresentadas por compositores como Tom Jobim, Vinicius de Moraes, Newton Mendonça, Carlos Lyra, Ronaldo Bôscoli e o próprio João Gilberto (que assinava duas faixas, "Bim bom" e "Ho-ba-la-lá"), o samba-canção de Zé da Zilda e Marino Pinto fez bonito. Ou melhor, continuou fazendo, provando entre outras coisas que grandes músicas se mantêm através do tempo, independentemente de modismos. Mas, sem dúvida, a versão bossa-novista de João Gilberto foi fundamental para a permanência de "Aos pés da cruz", cuja letra também popularizou uma máxima do matemático, teólogo e filósofo francês Blaise Pascal, do século XVII: "O coração tem razões que a própria razão desconhece."

O compositor, cantor e violonista Zé da Zilda (José Gonçalves, 1908-1954) foi um dos primeiros integrantes da ala de compositores da Mangueira, ao lado de bambas como Carlos Cachaça e Cartola. Em 1938, casou-se com a cantora Zilda, formando a Dupla da Harmonia, que também ficou conhecida como Zé da Zilda & Zilda do Zé, com quem gravou até sua precoce morte, em 1954, vítima de derrame. Um dos muitos parceiros de Zé da Zilda, Marino Pinto (1916-1965) também compôs com Wilson Batista, Ataulfo Alves, Pedro Caetano, Antonio Almeida, Paulo Soledade, Vadico, Mário Lago e até Tom Jobim ("Sucedeu assim" e "Aula de matemática").

Em 1959, João Gilberto incluiu esse samba clássico no álbum que apresentou a bossa nova ao mundo

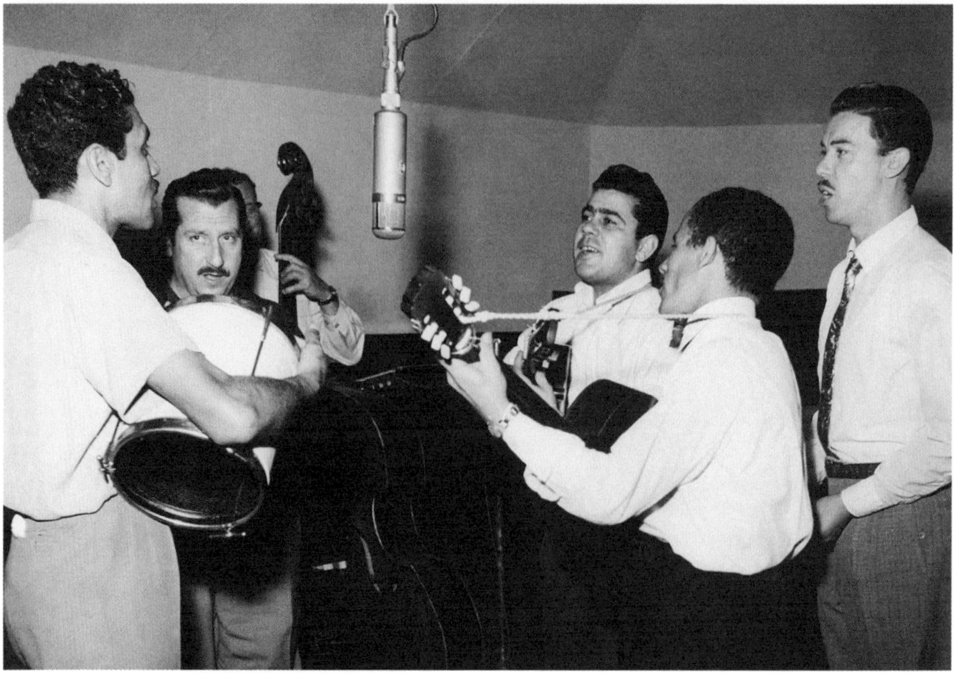

Um dos grandes grupos vocais da época, os Anjos do Inferno foram os primeiros a gravar "Rosa Morena"

Rosa Morena

Dorival Caymmi, 1942

Um dos grandes sambas-canção de Dorival Caymmi (1914-2008), "Rosa Morena" é exemplo de concisão e precisão poética a serviço da música. Com poucos e curtos versos, abusando da repetição, recurso usado para realçar o balanço do samba (e da morena), ele transporta o ouvinte para a roda na qual tenta convencer sua musa a entrar. Dá para apostar que conseguiu. Caymmi abusa de seus dons de sedutor, tão dengoso quanto a morena Rosa, que flana cheia de pose com uma rosa no cabelo.

"Rosa Morena" foi lançado em 1942 pelo grupo Anjos do Inferno, em disco de 78 rpm do selo Columbia, que trazia no outro lado mais um samba então inédito do compositor, o delicioso "Vatapá" (este, segundo a definição do próprio, tratava-se de um "samba-receita", ou seja, uma "list song"). Dorival gravou "Rosa Morena" em 1955, no LP de 10 polegadas *Sambas de Caymmi* (Odeon), numa versão que, ao valorizar o silêncio, o espaço entre as palavras, reforçou ainda mais o gingado da música. Maestria que, desde então, não parou de encantar intérpretes e ouvintes.

O rigoroso João Gilberto deixou clara a sua admiração pela arte de Caymmi, um precursor no formato de voz e violão, ao incluir "Rosa Morena" no disco divisor de águas que foi *Chega de saudade*, lançado em 1959. Anos depois, numa de suas raras entrevistas (ao jornalista Tárik de Souza), João Gilberto contou: "Uma das músicas que me despertaram, que me mostraram que se podia tentar uma coisa diferente foi 'Rosa Morena' do Caymmi. Sentia que aquele prolongamento de som que os cantores davam prejudicava o balanço natural da música. Encurtando o som das frases, a letra cabia certa dentro dos compassos e ficava flutuando. Eu podia mexer com toda a estrutura da música sem precisar alterar nada."

Em 1960, o já lendário Ary Barroso (no alto) abraça a bossa nova de Tom Jobim, Ronaldo Bôscoli e Carlos Lyra

Pra machucar meu coração

Ary Barroso, 1943

No início dos anos 1940, o talento de Ary Barroso como compositor já era mais do que reconhecido, colecionando sucessos que continuam em voga até hoje, como provam as outras duas canções aqui incluídas, "Na Baixa do Sapateiro" e "Aquarela do Brasil". Mas o mineiro de Ubá ainda tinha inspiração de sobra, caso do samba-canção de melodia arrebatadora que é "Pra machucar meu coração", vestido por uma luxuosa harmonia.

Na época, além das muitas funções na música (pianista, compositor, líder de orquestra, eventual cantor), o bacharel em Direito Ary Barroso já exercia outras atividades. Foi apresentador de programa de calouros e locutor esportivo (torcendo parcial e despudoradamente por seu Flamengo durante as transmissões), e teve participação ativa na política. Destacou-se na luta pelos direitos autorais na música (foi um dos fundadores e, em 1942, o primeiro presidente da União Brasileira de Compositores, UBC) e, em 1946, foi o segundo mais votado para a Câmara de Vereadores do Rio.

Agenda lotada de outros interesses, mas com tempo e inspiração para novas canções, o passional Ary é o coração romântico que se recupera de uma "cruel desilusão". Do lar que mantinha com a amada restaram apenas o (hoje, ecologicamente incorreto) sabiá e o violão. Apesar da separação traumática, a melodia melancólica revela que o narrador começava a se recuperar ("Quem sabe, não foi bem melhor assim...") e, em seus últimos versos, transmite sua lição de vida: "A vida é uma escola / Onde a gente precisa aprender / A ciência de viver pra não sofrer".

Lançado em 1943 pelo cantor Déo, hoje esquecido, este samba praticamente renasceu 21 anos depois, em *Getz/Gilberto*, gravado e lançado em 1964 nos Estados Unidos pelo saxofonista Stan Getz e por João Gilberto, com participação de Tom Jobim ao piano, e que popularizou a bossa nova no mundo.

Dorival Caymmi: lirismo e concisão poética a serviço do samba

Dora

Dorival Caymmi, 1945

Mestre das canções praieiras, pioneiro na valorização dos temas afro-baianos, Dorival Caymmi também foi o autor de adoráveis sambas-canção urbanos. Essa é uma vertente que, em grande parte, se deve à mudança do jovem compositor para o Rio de Janeiro, em 1938, onde compôs muito de uma obra reconhecida e aplaudida já em seus primeiros passos, o que permitiu que o baiano se dedicasse quase integralmente à música. *Quase* pelo fato de o homem que viveu tão intensamente também ter se aventurado com talento pela pintura.

Mesmo que inspirado por lembranças de uma viagem ao Recife "do frevo e do maracatu", "Dora" está no grupo de sambas-canção "cariocas" e é um exemplo do talento do compositor como cronista de seu mundo e de seu tempo. Como o próprio contou, no carnaval de 1942, hospedado no Grande Hotel do Recife, ele passou por um momento de epifania durante o desfile de um bloco no qual uma passista mulata dançava descalça. Gravada em detalhes em sua cabeça, pouco tempo depois, a cena foi recriada em forma de samba.

Obra-prima que funde balanço, lirismo e melodia exuberante em doses certeiras, "Dora" também é um exemplo de concisão poética. Em poucas pinceladas, Caymmi apresenta o cenário (a cidade "dos rios cortados de pontes / dos bairros, das fontes, coloniais") e desenvolve o enredo. Ação que, na verdade, é descrita por meio de *flashbacks*, a musa anônima (que, pela sonoridade, batizou de Dora) "requebrando / pra cá, ora pra lá" em seu pensamento.

O samba-canção foi lançado por Caymmi num compacto para a Odeon, em agosto de 1945, que trazia no lado B mais um sucesso, "Peguei um Ita no Norte". Desde então, o compositor voltou muitas vezes à "rainha cafusa" em seus discos – no arranjo para a gravação de um álbum de 1960, por exemplo, manteve as breves frases musicais dos sopros que remetem ao frevo. Com suas duas sílabas adoráveis de degustar, "Dora" também foi incorporada ao repertório de Nelson Gonçalves, Gal Costa e, claro, dos filhos Nana, Dori e Danilo.

Pianista e cantor de jazz, o carioca Dick Farney realçou a modernidade do samba de Braguinha e Alberto Ribeiro

Copacabana

Braguinha e Alberto Ribeiro, 1946

Muito antes de Tom e Vinicius apresentarem a vizinha Ipanema ao mundo, Braguinha (ou João de Barro) e Alberto Ribeiro (1902-1971) criaram este hino de louvor para a "Princesinha do Mar". Lançado em disco por Dick Farney, em 1946, com arranjo para orquestra de Radamés Gnattali, "Copacabana" era um samba diferente, moderno para a época, ganhando um tratamento sofisticado, que, somado ao canto cool de Farney, em muitos aspectos antecipou a estética minimalista da bossa nova.

O grande sucesso, dominando as paradas brasileiras por mais de um ano, veio acompanhado de acusações de plágio. A melodia do samba-canção lembra vagamente o início de "I'll remember April" (Gene de Paul, Patricia Johnston e Don Raye), lançada na trilha sonora de um filme de 1942 da dupla de comediantes Abbott & Costello, *Ride 'em Cowboy* (que no Brasil ganhou o título de *Cavaleiros da galhofa*). Braguinha não seria estúpido de "plagiary" logo um popularíssimo standard americano. Coincidência ou não, "Copacabana" foi escrita em 1944, para um musical que não chegou a ser montado, e teve como ponto de partida outra composição da dupla Braguinha e Ribeiro. É um samba curto, com apenas 12 versos que exaltam as belezas da praia carioca: "Nenhuma tem o encanto / que tu possuis".

O impacto inicial de "Copacabana" deve ser creditado também à interpretação magistral do pianista e cantor Dick Farney (1921-1987). Nascido no Rio de Janeiro como Farnésio Dutra e Silva, ele teve formação clássica e era apaixonado pelo jazz. Até gravar este samba-canção, após muita insistência de Braguinha, Farney só cantava em inglês. Entre os anos de 1947 e 1948, ele chegou a viver e trabalhar nos Estados Unidos, onde, entre outros compromissos, foi contratado como cantor fixo no programa de rádio do comediante Milton Berle. Com os sucessos de "Copacabana" e "Marina" (esta de Dorival Caymmi), que ele tinha gravado para a Continental antes de se radicar nos EUA, Farney voltou ao Brasil, ajudando a plantar as sementes da bossa nova.

Primeiro "popstar" brasileiro, Luiz Gonzaga botou o Nordeste no topo das paradas

Asa branca

Luiz Gonzaga e Humberto Teixeira, 1947

Maior sucesso do Rei do Baião e um dos nossos "hinos nacionais populares", "Asa branca" foi composta por Luiz Gonzaga e Humberto Teixeira, em 1947, a partir de um tema folclórico que o sanfoneiro conhecia desde a infância. Após uma década e meia longe, Luiz Gonzaga (1912-1989) tinha visitado a cidade de Exu, no sertão pernambucano, onde nasceu, e, ao retornar ao Rio, mostrou ao parceiro a canção. Teixeira mexeu em alguns versos, acrescentou outros, consolidando o lirismo e as fortes imagens da seca que castigava sem tréguas a região e forçava a imigração de seu povo para o Sul. Em ritmo de toada, a música tocou fundo no coração dos brasileiros. Além das muitas gravações de Gonzaga, foi adotada por intérpretes de diferentes estilos e gerações, ganhou até versões sinfônicas, virando um hino do Nordeste e de sua gente.

Radicado no Rio de Janeiro desde 1940, Gonzagão sobrevivia a duras penas, tocando valsas, polcas, tangos, foxtrotes e boleros em bares da zona de prostituição. Na época, os ritmos nordestinos que tinham feito tanto sucesso nas duas primeiras décadas do século XX estavam relegados à sua região, eram vistos como cafonas no Sudeste brasileiro. Até que, uma noite, atendendo aos pedidos de um grupo de estudantes nordestinos de passagem pela então capital federal, Gonzaga voltou aos sons de pé de serra que seu pai Januário tocava. Para sua surpresa, conseguiu empolgar a plateia e percebeu que aquele diferencial era um filão a ser explorado. Já em 1941 compôs os chamegos "Pé de serra" e "Vira e mexe" – tendo, este último, lhe rendido o primeiro prêmio no programa de calouros de Ary Barroso e um contrato para gravar na RCA Victor.

Nos anos seguintes, com seu repertório de chamegos, xotes e baiões, adotou um visual próprio, com roupas de couro, adereços de boiadeiro e chapéu de cangaceiro, que, segundo um de seus fãs, Gilberto Gil, fez dele o primeiro *popstar* brasileiro. Essa metamorfose se completou em fins de 1945, quando conheceu o seu principal letrista, o advogado cearense Humberto Teixeira (1915-1979). No ano seguinte, a dupla fez "Baião", lançada pelo grupo vocal Quatro Ases e Um Coringa, com Gonzagão tocando sanfona. A canção popularizou um ritmo e uma dança que faziam sucesso no Nordeste desde o fim do século XIX. O Brasil inteiro aprendeu como se dança o baião, e Luiz Gonzaga virou rei de vez em 1947, nas asas de "Asa branca".

A vida noturna carioca influenciou sambas-canção de Caymmi

Marina

Dorival Caymmi, 1947

Ao lado de seu compadre Jorge Amado, Dorival Caymmi foi um dos inventores da Bahia no imaginário brasileiro, pioneiro das canções praieiras e do uso de temas, ritmos e expressões das religiões africanas na música popular. Foi também um autêntico carioca, ou copacabanense, e um dos grandes mestres do samba-canção romântico e intimista nas décadas de 1940 e 1950. Caymmi passou boa parte da vida em Copacabana, dividindo-se entre a família – ao lado de Stella Maris, a cantora que abandonou a música para se dedicar a ele e aos três filhos que depois também se tornaram músicos: Nana, Dori e Danilo –, o trabalho e, sobretudo, a boêmia, na efervescente noite de Copacabana, onde as pequenas boates se multiplicavam depois do fim dos cassinos em 1946.

Os sambas-canção que lançou a partir da década de 1940 mostram como o ambiente e a cultura cosmopolita do Rio influenciaram sua obra. Caymmi se tornou um dos maiores mestres do estilo e também teve influência decisiva para o surgimento da bossa nova nos apartamentos e boates de Copacabana e nas areias de Ipanema e Leblon.

"Marina" é uma das primeiras canções dessa nova vertente, uma obra-prima em todos os sentidos, um grande clássico da nossa música popular. Em busca da simplicidade direta, é refinada em seu acabamento, fruto da obsessão do compositor em encontrar as palavras certas para cada frase musical. Foi um sucesso instantâneo ao ser lançada, em 1947. Além da gravação de Dick Farney para o selo Continental, um fato raro para o período, outros três 78 rpm foram lançados ao mesmo tempo, com Francisco Alves, Nelson Gonçalves e o próprio Caymmi cantando "Marina". Mas a que fez mais sucesso foi a de Dick Farney.

Caymmi contou, em entrevista a Paulo Mendes Campos para a *Revista da Música Popular*, de 1955, a pouco romântica origem de "Marina". Uma vez, ao sair de casa, seu filho Dorivalzinho (como chamava a Dori) disse-lhe com a cara zangada: "Estou de mal." "Na rua, essa frase ficou martelando na minha cabeça: 'Estou de mal, estou de mal, estou de mal...' Enquanto ia à rádio, comprava umas coisas, andava nas ruas, a melodia e a letra foram se compondo em minha cabeça. No fim do dia, a música estava pronta."

Ao longo de sua carreira Caymmi gravou várias versões de "Marina", mas a primeira versão de Dick Farney se tornou a mais influente, como referência de qualidade do samba-canção e antecipando a modernidade da bossa nova. Outros cantores regravaram "Marina", como a versão iconoclasta de Gilberto Gil (no álbum *Realce*, em 1979), a belíssima gravação em estilo clássico de Emílio Santiago e a tecnopop do capixaba Silva, de 2015.

Lupicínio Rodrigues: prova de que o samba também pode ser gaúcho

Nervos de aço

Lupicínio Rodrigues, 1947

Nos anos 1940, dizia-se que os negros e o samba não tinham lugar na história e na cultura do Rio Grande do Sul, mas Lupicínio Rodrigues desmentiu ignorâncias e preconceitos. Consagrando-se como um dos maiores compositores de samba, com "Se acaso você chegasse", tornou-se um dos grandes mestres do samba-canção, com sua poética do ódio e do rancor nas relações amorosas, em clássicos como "Vingança", "Cadeira vazia" e "Volta".

Lançado em 1947, por Francisco Alves, "Nervos de aço", um torturado relato de uma dilacerante dor amorosa, bastaria para consagrar Lupicínio e seu estilo, que se inspirava em suas próprias histórias de traições e amores desfeitos, em dramas que ouvia em mesas de bar nas noites frias de Porto Alegre.

Vinte e cinco anos depois, "Nervos de aço" ganhou uma nova e brilhante exposição na voz de Paulinho da Viola, com uma interpretação moderna, contida e pungente dos versos doloridos de Lupicínio, batizando o álbum que o sambista carioca lançou em 1972.

"Eu não sei se o que trago no peito / É ciúme, é despeito, amizade ou horror / Eu só sei é que quando a vejo / Me dá um desejo de morte ou de dor."

Nascido em Porto Alegre, Lupicínio (1914-1974) conseguiu viver de música fora do eixo Rio-São Paulo, sem sair de sua cidade. Seu talento foi revelado ainda na adolescência, quando, aos 14 anos, a pedido de um bloco, escreveu seu primeiro samba, "Carnaval", em 1932, e durante uma passagem de Noel Rosa por Porto Alegre, quando Lupicínio conseguiu lhe mostrar algumas de suas músicas e o Poeta da Vila cravou: "Esse garoto vai longe."

Lupi, como era chamado desde criança, conseguiu seu primeiro grande sucesso nacional em 1938, com "Se acaso você chegasse" (em parceria com Felisberto Martins), lançado pelo então iniciante Ciro Monteiro. Um ano depois, disposto a fazer carreira, o jovem compositor viajou para a capital federal, onde se tornou conhecido e admirado no circuito musical da cidade. Francisco Alves, o cantor mais popular do Brasil na época, foi um dos que apostaram no talento do gaúcho, gravando, entre outros clássicos, "Nervos de aço", "Esses moços", "Quem há de dizer" e "Cadeira vazia". Em 1951, Linda Batista emplacou mais um grande sucesso de Lupicínio, o samba-canção "Vingança". E, em 1960, seria a vez de Elza Soares, que estreou nas paradas de sucesso com uma espetacular regravação de "Se acaso você chegasse".

Lupicínio morreu em agosto de 1974, um mês antes de completar 60 anos. Mas pôde acompanhar a redescoberta de suas canções pela então nova geração da MPB. Já no fim dos anos 1960, com aplausos do poeta concreto Augusto de Campos, alguns de seus sambas foram regravados por Caetano Veloso, Gal Costa e Paulinho da Viola. No século XXI, Lupicínio continua sendo cantado em gravações de Zizi Possi, Arnaldo Antunes, Arrigo Barnabé, Adriana Calcanhotto, Gal Costa e Elza Soares.

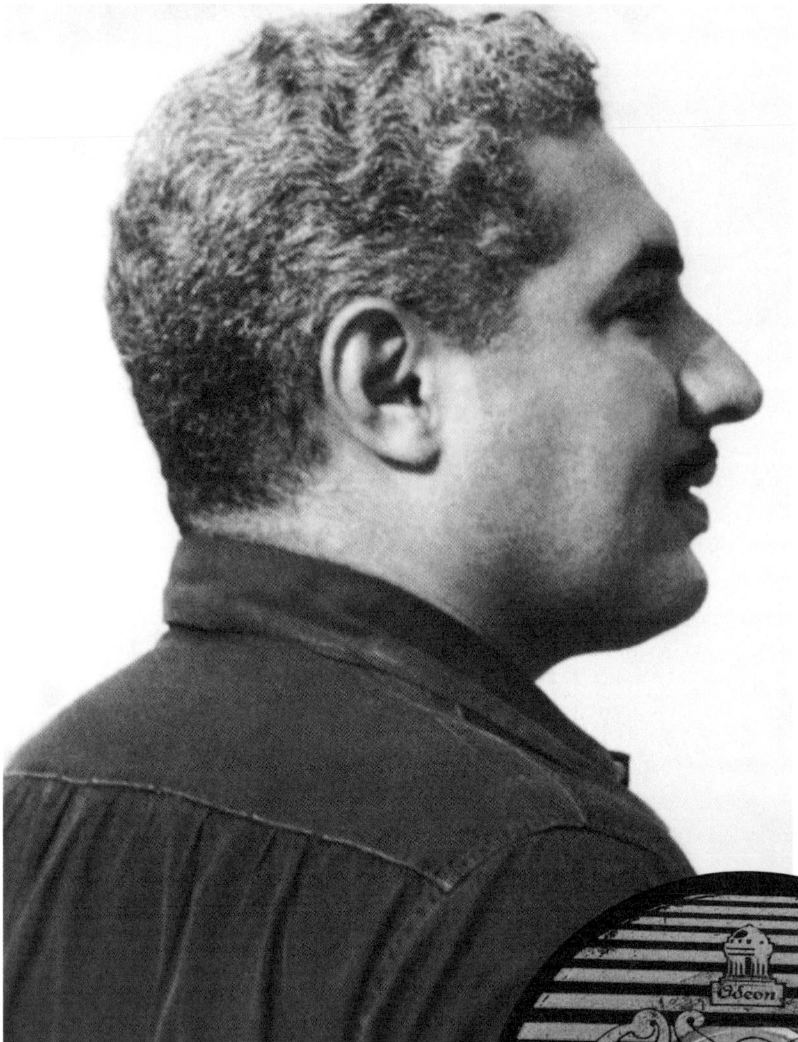

Caymmi: retratista
de tipos e costumes
brasileiros

João Valentão

Dorival Caymmi, 1953

Cronista de seu povo e de seu tempo, mistura perfeita de africanos e italianos, Dorival Caymmi imortalizou muitos personagens que encontrou ao longo da vida em suas canções. "João Valentão" foi um deles, um pescador que conheceu na juventude, na praia de Itapuã, e serviu de inspiração para o samba-canção que se tornou um de seus maiores sucessos. Lançada num compacto simples em 1953 (como o lado B de "Tão só", escrita com seu parceiro de copo e boêmia Carlos Guinle), a composição tinha começado a nascer em 1936, dois anos antes de Caymmi trocar Salvador pelo Rio de Janeiro, e, com a falta de pressa que o caracterizava, só foi terminada em 1945.

Meticuloso artesão da palavra cantada, Caymmi só dava uma canção por terminada após esgotar todas as possibilidades de rima, métrica, melodia e ritmo e encontrar a forma ideal. E isso podia levar anos. Entre os primeiros versos, escritos aos 22 anos quando estava se iniciando na arte de compor, e a forma final, foram nove. Seu amálgama de música e palavras é um exemplo de força e concisão, com pinceladas psicológicas do pescador, ao mesmo tempo durão e lírico, "que nunca precisa dormir pra sonhar", perfeitamente integrado ao cenário paradisíaco que habita, à beira-mar, deitado na areia da praia, entre o fim da tarde ("quando o sol vai quebrando / lá pro fim do mundo pra noite chegar") e a noite, que, "se é de lua", estimula a contar mentiras e se espreguiçar.

Em entrevista à neta e biógrafa Stella, Caymmi contou que ele e seus amigos idolatravam um pescador de Itapuã, um cara forte e corajoso, cheio de histórias, e que inspirou o personagem da música depois de reclamar com Caymmi por trocar o seu convite para embarcar numa pescaria para ficar no banho de mar em Itapuã. Com a cobrança na cabeça e botando no personagem também algo de si, o jovem Caymmi fez os primeiros versos da então "João Carapeba" – também o nome de um peixe, que era o apelido de seu personagem. Ao longo dos nove anos seguintes ele foi avançando lentamente na história, até que, a bordo de um bonde da linha Grajaú, lhe ocorreram os quatro versos finais.

Enquanto grandes compositores como Tom Jobim, Ary Barroso ou Chico Buarque têm 300, 400 músicas, Caymmi, que viveu 94 anos, tem pouco mais do que 80. Mas todas ótimas. Muitas levaram mais de dez anos para serem concluídas, no feliz encontro da poesia com o rigor e a preguiça.

Em 1965, Elis Regina regravou "João Valentão" com o Zimbo Trio e soberbo arranjo jazzístico de Paulo Moura no LP *Samba eu canto assim*.

Zé Kéti: o samba em pessoa, natural do Rio de Janeiro

A voz do morro

Zé Kéti, 1955

Primeiro grande sucesso do carioca Zé Kéti (José Flores de Jesus, 1921-1999), este samba empolgante foi gravado por Jorge Goulart, com arranjo de Radamés Gnattali, para a trilha sonora do filme *Rio 40 graus*, e se tornou um hit nacional.

O filme de Nelson Pereira dos Santos, produzido em 1955 e marco fundador do Cinema Novo, em que Zé Kéti também trabalhou como ator, consagrou a canção de melodia arrebatadora, embalando a letra que remete a uma sintética autobiografia do gênero. "Eu sou o samba / A voz do morro sou eu mesmo, sim, senhor...", anuncia-se nos primeiros versos, para, na segunda estrofe, contrariar as teses e polêmicas sobre sua origem baiana: "Sou natural daqui do Rio de Janeiro."

Sim, foi decisiva a contribuição dos sambas de roda do Recôncavo Baiano no começo do século XX, mas foi no Rio de Janeiro, a partir do início dos anos 1930, com Noel Rosa, Pixinguinha, Ismael Silva e demais bambas do Estácio, que o samba ganhou o seu formato urbano, distanciando-se do maxixe, do coco, do samba de roda e demais manifestações rurais. Carioca por adoção e formação, por meio do disco e do rádio o samba se espalhou pelo Brasil.

Zé Kéti começou a mostrar seus talentos no início dos anos 1940, no seleto grupo de compositores da poderosa Portela e, antes de emplacar seu primeiro sucesso com "A voz do morro", teve sambas gravados por Linda Batista, Ciro Monteiro, Jamelão e Garotos da Lua. Em 1962, Zé Kéti começou a subir aos palcos com o grupo que idealizou, homônimo do seu maior sucesso. Uma primeira formação de A Voz do Morro incluiu dois outros grandes mestres, Nelson Cavaquinho e Cartola. A formação que se consolidou um ano depois chegou a gravar um LP, reunindo Zé Kéti, os então garotos Paulinho da Viola e Elton Medeiros, mais Zé Cruz, Anescarzinho e Oscar Bigode.

Além de "A voz do morro", que décadas depois recebeu uma interpretação luxuosa de Luiz Melodia, Zé Kéti também compôs os clássicos "Opinião", "Diz que fui por aí" e o belíssimo samba de carnaval "Mascarada", regravado por Emílio Santiago.

A partir de 1964, quando participou do espetacular sucesso do show *Opinião*, ao lado da ex-musa da bossa nova que se tornara musa da oposição, Nara Leão (um ano depois substituída por uma baiana de 19 anos, Maria Bethânia), e do maranhense João do Vale, Zé Kéti foi um dos responsáveis pela volta do samba às paradas de sucesso. A voz do morro era ele mesmo, sim senhor.

Elizeth Cardoso subiu o morro e consagrou um dos clássicos de Nelson Cavaquinho

A flor e o espinho

Nelson Cavaquinho, Guilherme de Brito e Alcides Caminha, 1957

Sucesso no disco *Elizeth sobe o morro*, de 1965, o samba "A flor e o espinho" tinha sido gravado (e ignorado pelo público) oito anos antes pelo hoje esquecido cantor Raul Moreno. Na voz de Elizeth Cardoso se tornou um dos maiores clássicos do gênero, com a marca registrada da dupla Nelson Cavaquinho e Guilherme de Brito, que, nesta música, contou com o auxílio luxuoso de Alcides Caminha.

Foi nesse tempo que, já cinquentão, Nelson Cavaquinho começou a sair das sombras e a ser reconhecido. Não só pelos sambas que vinha compondo desde a década de 1930, mas também como cantor de voz rouca e violonista originalíssimo. Uma das atrações do Zicartola, o misto de restaurante e casa de samba que o casal Dona Zica e Cartola manteve entre 1963 e 1965 no Centro do Rio, Nelson também foi gravado com sucesso por Nara Leão, Elis Regina e Beth Carvalho, que se tornou a sua grande intérprete.

Apesar do sobrenome artístico, Nelson Antônio da Silva (1911-1986) trocou o cavaquinho pelo violão na juventude. Autodidata, desenvolveu um estilo inusitado e rústico, usando apenas o polegar e o indicador para tocar com vigor nas cordas do instrumento.

É difícil imaginar que esse arquétipo do sambista boêmio e bom de copo, vagando de bar em bar com seu violão, tenha sido soldado da Polícia Militar. Mas, nos anos 1930, após servir o Exército, ele se dividiu um bom tempo entre a PM e o samba, atuando na região do Morro da Mangueira, onde ficou amigo de Cartola, Carlos Cachaça e outros bambas, chamando a atenção de Noel Rosa. Acabou largando a farda, mas passou as décadas de 1940 e 1950 vivendo de bicos, muitas vezes vendendo seus sambas para "comprositores" ou cantores, prática comum na época.

Nelson teve duas dezenas de parceiros, mas o encontro com Guilherme de Brito (1922-2006), no início dos anos 1950, foi fundamental. Também o letrista de Nelson em clássicos como "Folhas secas", "Quando eu me chamar saudade" e "Pranto de poeta", num fim de noite na Praça Tiradentes, após uma festa, Guilherme teve a ideia para os versos de abertura de "A flor e o espinho", que se tornaram clássicos na música brasileira:

"Tire o seu sorriso do caminho / que eu quero passar com a minha dor."

No dia seguinte, mostrou para Nelson a letra amargurada, que foi completada por Alcides Caminha (1921-1992), um funcionário do Ministério do Trabalho que manteve por três décadas uma vida secreta como autor de quadrinhos eróticos e se celebrizou como Carlos Zéfiro.

O próprio Caymmi lançou, num álbum de 1957, o samba "Saudade da Bahia"

Saudade da Bahia

Dorival Caymmi, 1957

Quase duas décadas após trocar a Salvador natal pela então capital federal, o Rio de Janeiro, Dorival Caymmi acumulara experiência de sobra para ter saudades da Bahia. Terra que, a essa altura, ele próprio ajudara a criar no imaginário de muitos brasileiros com seu cancioneiro; incluindo pioneiras *list songs* como "O que é que a baiana tem?", "Lá vem a baiana", "Vatapá" e "Lenda do Abaeté".

Mesmo tendo a sua terra natal no título, este samba confessional tem como tema o arrependimento e a perda. Sobrepondo-se a mais uma declaração de amor à Bahia e à descrição de seus encantos e mistérios, a saudade de Caymmi é do afeto e da vida em família, e ele se arrepende de sua decisão de partir: "Ai, se eu escutasse o que mamãe dizia."

Naquele fim dos anos 1950, Dorival também já podia se dar ao luxo de ser o primeiro intérprete de suas canções, antecipando o perfil do "cantautor" que se tornou o padrão da MPB nos anos 1960. "Saudade da Bahia" foi lançado em seu quarto álbum, *Eu vou pra Maracangalha* (Odeon), ao lado de clássicos como "Samba da minha terra", "Maracangalha" e a já citada "Vatapá".

Apesar do lançamento em 1957, o samba tinha sido escrito uma década antes, de uma tacada só, num bar no Leblon, e ficara restrito ao repertório caseiro. Caymmi sempre gostou de deixar as músicas amadurecerem sem pressa, até finalmente se convencer de que estavam boas. O produtor do álbum, Aloysio de Oliveira, que conhecia "Saudade da Bahia" dos saraus na casa dos Caymmi, foi quem insistiu na sua gravação.

Consagrado como cantor, ganhando o suficiente para sustentar a família e ainda farrear pela fervilhante noite carioca, Caymmi também tinha seus momentos de desamparo e saudade, e concluía filosoficamente a canção:

"Pobre de quem acredita / Na glória e no dinheiro para ser feliz."

Chega de saudade

Tom Jobim e Vinicius de Moraes, 1958

Canção-símbolo da bossa nova, marco inicial da mais radical mudança de rumo na história da música brasileira, "Chega de saudade" foi escrita por Antônio Carlos Jobim (1927-1994) e Vinicius de Moraes (1913-1980) e gravada pela primeira vez no início de 1958 por Elizeth Cardoso no LP *Canção do amor demais*. Porém, na forma tradicional que Elizeth a cantava, de bossa nova a música não tinha nada – apenas a batida diferente do violão de João Gilberto, que, ao fundo e no meio da orquestra, passou quase despercebida. Apesar da popularidade e do prestígio de Elizeth, e da qualidade das canções da dupla, o disco passou batido pelo público e pela crítica.

Seis meses depois, com um arranjo moderno e minimalista de Tom Jobim e uma introdução à maneira de regional de choro puxada pela flauta, João Gilberto regravou "Chega de saudade". Agora, com a batida de seu violão integrada à sua voz, canto com um mínimo de volume e um máximo de suingue e precisão, alterando acordes e divisões rítmicas, valorizando as palavras da letra coloquial, carinhosa e cheia de diminutivos de Vinicius de Moraes. Nascia a bossa nova. E logo se transformava em um improvável sucesso nacional, começando pelas rádios de São Paulo e se alastrando para o resto do país. O estilo provocou polêmica e virou a melhor novidade do ano, conquistando a juventude e se tornando trilha sonora dos alegres e otimistas "Anos JK".

No rótulo do histórico 78 rpm, a música era identificada como "samba-canção". A prática de classificar os gêneros musicais dos discos começava a ser abolida pelas gravadoras na época e, na verdade, o próprio João Gilberto nunca aprovou o rótulo de bossa-nova. Como sempre disse, a batida de seu violão era samba, um samba minimalista e sincopado, mas sempre samba.

Para Tom Jobim, "Chega de saudade" era mais um "samba-choro", que compôs baseado em sequências de acordes básicos de um método para violão comprado para uma sobrinha, como contou a Tárik de Souza no livro *Tons sobre Tom*. Sobre essa sequência, alterou os acordes e escreveu uma melodia que em sua primeira parte é toda em tom menor, saudoso e melancólico, para se abrir em tom maior na segunda, quando a letra se ilumina a partir de "Mas, se ela voltar / se ela voltar que coisa linda, que coisa louca / pois há menos peixinhos a nadar no mar / do que os beijinhos que darei na sua boca".

Foi uma overdose de escândalos. Um cantor que não tinha voz para os padrões da era do rádio, cantando de uma forma doce e feminina

"Dream team" da bossa nova em 1962: Vinicius e Tom (no piano), João Gilberto e Os Cariocas

no reinado dos cantores viris e grandiloquentes. Um ritmo esquisito que sambistas tradicionais chamaram pejorativamente de "violão gago". Um poeta místico e dramático com a obra e a respeitabilidade de Vinicius rimando beijinhos com peixinhos.

Embora secundária como música e letra na obra monumental de Tom e Vinicius, o tempo provou que a melodia sinuosa e os acordes dissonantes, a letra coloquial e inovadora e a nova batida de violão envolvendo o canto mínimo e exato de João Gilberto resultaram na criação de um novo gênero musical que, em seguida, também ganharia os Estados Unidos, a Europa e o Japão, e seria uma das maiores contribuições brasileiras para a beleza e a alegria do mundo.

Vinicius e Tom:
dupla que formatou
a bossa nova
também foi fundo
no romantismo

Eu sei que vou te amar

Tom Jobim e Vinicius de Moraes, 1958

Lançada em 1958, no momento em que a bossa nova começava a revolucionar a música brasileira, esta canção logo se tornou uma das mais gravadas da dupla Tom e Vinicius. Tradicional e romântica em termos musicais e poéticos, "Eu sei que vou te amar" tinha pouco em comum com o estilo que foi sintetizado pela voz e o violão de João Gilberto. Sua letra e sua melodia são desesperadamente românticas, distantes do suingue seco e sincopado, das harmonias dissonantes e das letras coloquiais de Vinicius, cantando a leveza da vida no paraíso carioca.

Mas tanto Tom Jobim quanto Vinicius de Moraes nunca se restringiram a esses temas ou ao samba como a única base musical, transitando com liberdade por modinhas, valsas, choros, boleros, afro-sambas, sambas-canção.

O primeiro registro da música é de Sol Stein e seu Conjunto, no LP *Boate em sua casa, Vol. 1 – Encontro no Au Bon Gourmet*, em 1958, sem qualquer repercussão. No ano seguinte, também não foi bem-sucedida com Lenita Bruno, cantora de formação lírica, casada com o maestro e arranjador Leo Peracchi, que deu a "Eu sei que vou te amar" uma interpretação entre uma ária de ópera e um standard de musical da Broadway. Só 35 anos depois, quando finalmente João Gilberto gravou a sua longamente amadurecida versão no disco *Ao vivo – Eu sei que vou te amar* (1995), a canção ganhou sua versão definitiva, mais próxima da bossa nova, como já tinha sido antecipado, em 1978, por Caetano Veloso, discípulo aplicado de João Gilberto, no disco *Muito*.

Dos mais bregas aos mais chiques, são incontáveis os intérpretes de "Eu sei que vou te amar", que se impõe pela melodia arrebatadora e pela poética apaixonada de Vinicius, como a mais popular música de casamentos em todo o Brasil.

Em 2008 recebeu belíssima versão de Roberto Carlos nas comemorações dos 50 anos da bossa nova. Em 2014, cantada por Ana Carolina, foi sucesso de novo como tema de abertura da novela *Em família*. Foi cantada a meia-voz pela multidão no funeral de Tom Jobim.

Desafinado

Tom Jobim e Newton Mendonça, 1959

Esta canção-manifesto da bossa nova é um clássico dos mestres da efêmera e fundamental dupla Tom Jobim e Newton Mendonça (1927--1960). Cariocas e aquarianos do mesmo ano, Tom era lindo e charmoso, e Newton, feioso e gorducho; juntos assinaram outra pedra fundamental do estilo, "Samba de uma nota só", e mais alguns exemplos perfeitos da mescla de sofisticação e apelo pop com "Meditação", "Discussão", "Caminhos cruzados" e "Foi a noite". Mas é a música "Desafinado", lançada por João Gilberto em fevereiro de 1959, que melhor representa as conquistas estéticas de um estilo que sintetizava, com leveza e humor, o samba com cool jazz, clássicos impressionistas e minimalismo, na voz e no violão de João.

"Desafinado" é o pedido bem-humorado de um cantor para que a amada de ouvido privilegiado perdoe sua falta de afinação na música e na vida. Ao mesmo tempo, Tom e Newton rebatem didática, espirituosa e musicalmente muitas das críticas feitas à bossa nova tanto pela imprensa quanto pelo meio musical. As estranhezas que soavam antimusicais para muitos críticos eram bossa nova, eram muito naturais para aquele núcleo de jovens criadores. Música e letra em perfeita sincronia brincam com a ideia do título, forçando o limite da afinação no fraseado musical, como no verso inicial "Se você disser que eu desafino, amor", que pode levar tanto ouvintes quanto intérpretes ao erro. Muitos desavisados comentavam que João Gilberto, o mais afinado dos cantores brasileiros, era "desafinado", confundindo o efeito com o defeito.

"Você com a sua música esqueceu o principal / Que no peito dos desafinados / No fundo do peito bate calado / Que no peito dos desafinados também bate um coração."

Sucesso também nos Estados Unidos, a partir da gravação instrumental do saxofonista Stan Getz com o guitarrista Charlie Byrd, lançada num *single* em 1962, que vendeu mais de um milhão de cópias e faturou um Grammy de "melhor performance de jazz", "Desafinado" foi uma das pontas de lança para espalhar a bossa nova nos Estados Unidos. Ganhou duas versões em inglês: "Slightly Out of Tune", do cantor Jon Hendricks, e a que vingou, mais fiel à ideia original, "Off Key", por Gene Lees, orientado por Tom Jobim.

A dupla teve papel decisivo para a canção brasileira e teria imenso futuro, mas a vida desafinou com Newton, que morreu aos 33 anos, vítima de enfarte, em 1960, no momento em que a bossa nova começava a fazer sucesso no Brasil. Tanto um quanto outro faziam música e letra, portanto nunca se saberá ao certo quem fez o quê. Mas, no caso de "Desafinado", Johnny Alf, que Tom adorava, certamente merece levar algum crédito, pois "Rapaz de bem", que Alf gravara em 1955, era uma canção pioneira de melodia sinuosa e jazzística sobre sequências de acordes dissonantes, que se alinha bem com o espírito de "Desafinado". Anos depois, recebeu letra de Ronaldo Bôscoli e uma nova introdução, feita por Tom Jobim.

Em "Desafinado", parceria com Newton Mendonça, Tom Jobim fez uma canção-manifesto, sintetizando as inovações estéticas da bossa nova

Almira Castilho e Jackson do Pandeiro: dupla que misturou samba com bebop e rock

Chiclete com banana

Gordurinha e Almira Castilho, 1959

Sucesso popular em 1959, na gravação de inconfundível gingado do paraibano Jackson do Pandeiro, grande mestre do suingue e das divisões rítmicas, "Chiclete com banana" voltou às paradas em 1972, na voz de Gilberto Gil, como um dos destaques do influente álbum *Expresso 2222*. Desde então, tem sido uma referência obrigatória na afirmação da cultura musical brasileira, comentando com humor a concorrência que o samba passou a enfrentar com os ritmos de fora. Do bebop, um dos estilos do jazz em voga nos anos 1950 (citado na abertura da letra, "Eu só ponho bebop no meu samba / Quando Tio Sam tocar um tamborim"), ao rock, que começava a se espalhar pelo mundo.

Mesmo criticando a excessiva influência de ritmos estrangeiros no Brasil, a canção era uma espécie de samba-bop e também anunciava um novo híbrido, que, anos depois, seria realidade com Jorge Benjor: "Olha aí, o samba-rock, meu irmão." Na letra engenhosa e no ritmo sincopado se fundem gêneros que, apesar de espalhados pelo continente americano, têm as mesmas raízes africanas: jazz (bebop, boogie-woogie), rumba, samba, coco.

Apesar de ter sido creditada ao baiano Gordurinha (Waldeck Artur Macedo, 1922-1969) e à pernambucana Almira Castilho (1924-2011), Jackson também participou de sua criação. Em alguns discos, seu nome de batismo, José Silva Gomes Filho (1919-1982), constou como parceiro. Diz Almira, companheira de Jackson no palco e na vida entre 1956 e 1967, que na época do lançamento de "Chiclete com banana" eles não podiam dividir composições por serem filiados a associações de autores diferentes – ele estava na UBC (União Brasileira de Compositores); ela, na SBACEM (Sociedade Brasileira de Autores, Compositores e Escritores de Música). O samba foi escrito a seis mãos. Gordurinha apresentou a ideia à dupla, já com alguns versos e um esboço da melodia, Jackson e Almira completaram a canção, mexendo no arranjo e acrescentando alguns cacos e expressões regionais. É dele o *scat* jazzístico que funciona como introdução e dá charme especial e mais sentido à sátira proposta na música.

A regravação de Gil, em 1972, também foi importante para impulsionar a volta de Jackson do Pandeiro aos palcos. Por mais uma década, o Rei do Ritmo pôde viajar pelo Brasil com sua mistura de samba, baião, xote, xaxado, coco, arrasta-pé, quadrilha, marcha, frevo e o suingue irresistível que marcava seu estilo. Morreu aos 62 anos, em 1982, após passar mal durante um show em Brasília, mas sua influência cresceu entre as novas gerações. Uma das bandas de axé de maior sucesso adotou Chiclete com Banana como nome e, em 1999, Lenine usou trechos do clássico para homenagear o mestre na música "Jack Soul Brasileiro".

Ilusão à toa

Johnny Alf, 1961

Um dos mais talentosos e originais compositores da música brasileira, o carioca Johnny Alf (Alfredo José da Silva, 1929-2010) teve a sorte de nascer com uma voz e um dom musical raros. Mas, sendo negro, pobre e gay em pleno Brasil dos anos 1950, estava destinado a jamais conquistar sucesso popular e sequer receber o devido reconhecimento crítico.

No fim da vida, aos 80 anos, Johnny, que sempre evitou discussões sobre sua sexualidade, admitia o que alguns percebiam na letra desta canção sobre um amor secreto, trancado no armário. Nas entrelinhas, o genial e tímido pianista cantava a melodia sinuosa de seus sentimentos por um amigo também músico, que nem desconfiava daquele amor discreto de uma só pessoa.

Em 1961, ano em que lançou "Ilusão à toa", no seu primeiro álbum solo, *Rapaz de bem*, a homossexualidade, mais do que um tabu, ainda era um crime previsto pela legislação então vigente no Brasil. Sem levantar bandeira alguma, "Ilusão à toa" se afirma como uma grande canção de amor, acima e além do gênero dos envolvidos. E, ao longo das últimas cinco décadas e meia, tem embalado muitos corações apaixonados de todos os sexos e gerações.

Regravada por dezenas de intérpretes – Isaurinha Garcia, Marcos Valle, Elizeth Cardoso, Sylvia Telles, Leny Andrade, Emílio Santiago, Elis Regina, Gal Costa, Caetano Veloso, Fafá de Belém, entre outros –, "Ilusão à toa" inspirou pelo menos duas novas canções:

O sucesso dos anos 1980 "Um certo alguém", de Lulu Santos e Ronaldo Bastos, tem seu título tirado da abertura da letra de Alf: "Eu acho engraçado quando um certo alguém se aproxima de mim..."

Já no século XXI, Caetano se inspirou no verso "... a conduzir o nosso amor discreto" para o título de sua canção "Amor mais que discreto", que também fala de um amor gay.

Mesmo sendo de família pobre e órfão de pai, Johnny teve boa formação cultural. Completou o ensino médio em uma das mais concorridas escolas públicas do Rio, estudou piano clássico desde os 9 anos, aprendeu inglês e se encantou com o jazz e os *standards* de Cole Porter e Gershwin, que ouvia no rádio e nas trilhas sonoras de Hollywood. No fim dos anos 1940, decidiu que viveria de música, como pianista e cantor na noite de Copacabana, e logo atraiu a atenção de outros jovens músicos, como Tom Jobim, João Donato e Carlos Lyra, fascinados pela originalidade de seu estilo.

Precursor das harmonias jazzísticas e dissonantes que anteciparam a bossa nova, pianista refinado e cantor de voz de veludo com um fraseado musical sinuoso e cheio de efeitos, Johnny Alf deixou uma obra relativamente pequena em número e grandiosa em qualidade, como um dos maiores estilistas da música brasileira.

Johnny Alf: precursor das harmonias da bossa nova e da, mesmo que velada, temática gay

Baden Powell compõe
com Vinicius, que na
letra desse afro-samba se
autodenominou "o branco
mais preto do Brasil"

Samba da bênção

Baden Powell e Vinicius de Moraes, 1963

Lançado em 1966, o álbum *Os afro-sambas* é um marco divisor da música popular brasileira. Mas a revolução estética sintetizada nesse disco começara em 1962, quando o virtuoso violonista fluminense nascido Baden Powell de Aquino (1937-2000) começou a compor em parceria com Vinicius de Moraes. É desse período "Samba da bênção", obra-prima de síntese rítmica e poesia popular de alta densidade, anunciando as inovações formais de Baden e Vinicius. O samba é um dos destaques do álbum *Vinicius & Odette Lara*, editado em 1963, ao lado de mais onze composições da então recém-inaugurada parceria, incluindo outros pioneiros afro-sambas como "Berimbau", "Labareda" e "Deixa".

Com suas canções impregnadas de magia, paixão e negritude, Baden e Vinicius avançaram muito além da já esgotada fórmula da bossa nova, que saía de moda no Brasil e começava sua brilhante carreira internacional. Os afro-sambas anunciavam o futuro bebendo no passado ancestral, abrindo trilhas que logo seriam seguidas por muitos outros, reaproximando o samba de suas fontes afro-baianas e mudando o rumo da música brasileira.

Na letra autobiográfica, o poeta se apresenta ("Eu, por exemplo, o capitão do mato / Vinicius de Moraes / Poeta e diplomata / O branco mais preto do Brasil / Na linha direta de Xangô, saravá!") com uma declaração de identidade cultural e oferece um manual de vida:

"É melhor ser alegre que ser triste / Alegria é a melhor coisa que existe / é assim como a luz no coração / Mas pra fazer um samba com beleza / É preciso um bocado de tristeza / senão não se faz um samba, não."

Tão importante quanto a melodia simples sobre dois acordes e um ritmo irresistível é a parte falada, em que, sobre a base rítmica do violão de Baden, Vinicius homenageava amigos e mestres do passado e do presente pedindo-lhes a bênção: "A bênção, Dorival Caymmi, João Gilberto, Pixinguinha, Noel Rosa, Tom Jobim, Carlos Lyra, Nelson Cavaquinho, Cartola, Ary Barroso e muitos outros", dedicando a cada um deles uma pequena declaração de amor, respeito e amizade.

Entre eles, o maestro Moacir Santos ("que não és um só, és tantos") merece crédito à parte. Afinal, a gravação original de "Samba da bênção", em *Vinicius & Odette Lara*, tinha arranjo e regência dele. Maestro, arranjador, orquestrador, saxofonista, compositor e também professor de dezenas de músicos da época, incluindo Baden Powell, Moacir já vinha procurando essa reconexão com a África em sua música, que foi reunida em seu fundamental primeiro álbum, *Coisas* (1965).

Sem espaço no Brasil, Moacir (1926-2006) foi viver e ensinar nos Estados Unidos em 1967 e nunca mais voltou.

Em 1966, com a versão em francês de Pierre Barouh e o título de "Saravá", fez grande sucesso na França, cantada por Barouh no popularíssimo filme *Um homem, uma mulher*, de Claude Lelouch.

Em 2000, fez sucesso internacional em uma versão electrobossa de Bebel Gilberto.

Garota de Ipanema

Tom Jobim e Vinicius de Moraes, 1963

É a música brasileira mais conhecida no mundo, uma das cinco canções mais tocadas de todos os tempos.

E tudo começou quando Vinicius de Moraes e Tom Jobim tomavam chope e jogavam conversa fora no Bar Veloso (atual Garota de Ipanema), na esquina da rua Montenegro, em Ipanema – que futuramente seria rebatizada de Vinicius de Moraes –, quando viram passar a jovem Heloisa Eneida, com seu corpo perfeito e um biquíni mínimo, gingando a caminho do mar.

Depois de várias tentativas de letra de Vinicius, finalmente a "Garota" foi apresentada ao público no histórico show *Encontro*, na boate Au Bon Gourmet, que reuniu o time de sonhos da bossa nova: João Gilberto, Tom Jobim, Vinicius de Moraes (ainda diplomata, em sua primeira experiência como cantor) e Os Cariocas, que estreou em 2 de agosto de 1962.

Em cartaz por 45 dias com sucesso absoluto, o show desmentia a voz corrente que dizia não haver nada mais velho do que a bossa nova, desgastada e vulgarizada por uma exposição maciça na publicidade e pela exploração de oportunistas que surfavam na onda sem ter nada a ver com aquele estilo.

Mas a "Garota de Ipanema" de Tom e Vinicius, quintessência da bossa nova, foi um sucesso imediato, que cresceu em progressões geométricas. No início de 1963, foram lançadas as três primeiras gravações: do cantor Pery Ribeiro, de Os Cariocas e do Tamba Trio. Em maio daquele ano, seria a vez da primeira com Tom Jobim, em versão instrumental, para seu disco solo de estreia nos Estados Unidos, no selo de jazz Verve: *The Composer of Desafinado Plays*.

Até o fim daquele ano, saíram 18 outras gravações de "Garota de Ipanema" no Brasil e nos Estados Unidos, incluindo as de *jazzmen* de alto prestígio como Charlie Byrd, Herbie Mann e Stan Getz. O álbum *Getz/Gilberto – Featuring Antonio Carlos Jobim*, que reunia o saxofonista com o violão e a voz de João Gilberto, o piano minimalista de Tom, o contrabaixo de Tião Neto e a bateria de Milton Banana, impulsionou o sucesso internacional da canção.

Em meio às sessões, o produtor Creed Taylor sugeriu que o disco também incluísse uma versão em inglês. Como João não tinha intimidade alguma com o idioma de Shakespeare, sua mulher, Astrud, que nunca gravara até então, foi escalada para a missão. Como estamos cansados de saber, lançada num *single* no fim de 1963, "The girl from Ipanema" arrombou a festa. Em pleno 1964, quando Beatles, Stones, Dylan e companhia já começavam a ditar as novas ordens e modas no mundo pop, a gravação de Getz e dos Gilbertos chegou ao quinto lugar na lista pop (a Hot 100) e ao primeiro na de Easy Listening. No início de 1965, a ipanemense também roubou a festa na cerimônia de entrega do Grammy, levando o troféu de Gravação do Ano, enquanto *Getz/Gilberto* ficou com três outros, incluindo o de Álbum do Ano – pela primeira vez na história do Oscar da música um disco de jazz, e também com um artista não americano, vencia nessa categoria.

Inicialmente batizada de "Menina que passa", a canção tinha sido criada para um musical que

Astrud Gilberto foi a primeira voz da "Girl from Ipanema"

Vinicius planejava mas não chegou a terminar, *Blimp*. A versão em inglês de Norman Gimbel carimbou o passaporte para sua viagem sem fim e rendeu alguma discussão entre Tom e o americano. Este não via sentido em manter o nome do bairro/praia até então desconhecido fora dos limites cariocas. Tom bateu o pé, não aceitava transformá-la numa garota de South Beach, Malibu ou qualquer outra chique e famosa dos Estados Unidos. Logo, falantes anglo-saxões aprenderam a cantar Ipanema, assim como franceses, japoneses, turcos, russos, marcianos. O Rio agradece.

Se o bairro não mudou, o sexo da musa, sim. Já em 1964, a cantora de jazz Peggy Lee regravou-a como "The Boy from Ipanema", gênero também usado por intérpretes como Ella Fitzgerald, Shirley Bassey e, mais recentemente, Diana Krall. E "Garota de Ipanema" (e suas versões "girl" ou "boy") se tornou a segunda canção popular mais regravada no mundo, atrás apenas de "Yesterday", de uns tais de Lennon & McCartney.

Comercialmente, "Garota de Ipanema" pode ter sido o auge da dupla Tom & Vinicius, mas também sinalizou o começo do fim. Após o sucesso, eles só fizeram mais duas canções juntos: "Olha Maria", em 1970, junto com Chico Buarque, e, lançada na mesma época, "Chora coração", a única com letra na arrebatadora trilha sonora do filme *A casa assassinada*, de Paulo César Saraceni.

Olha que coisa mai
linda mais cheia de gra-ça é ela a
ni-na que vem e que pas-sa num doce
lan ço ca-minho do mar.

À esquerda: Vinicius e Tom no bar onde escreveram "Garota de Ipanema", com a partitura da canção ao fundo.

Abaixo: Frank Sinatra gravou “Garota de Ipanema” em 1967 num álbum em dupla com Tom.

Mas que nada

Jorge Ben Jor, 1963

Apresentando-se como um "misto de maracatu", este "samba de preto velho" promoveu uma revolução pacífica e festiva na canção brasileira. Lançado em 1963, inicialmente num 78 rpm com "Por causa de você, menina" no lado B, logo este samba diferente virou um sucesso em todo o Brasil, apesar de tachado de primitivo e infantil por boa parte da crítica. Com seu balanço original e seu vigoroso violão percussivo de sotaque afro, não dedilhado como na bossa nova, mas tocado com palheta como entre *rockers* e *bluesmen*, Jorge Ben Jor (na época ainda Jorge Ben) abriu novos caminhos para a música popular, num momento em que a bossa nova já dava sinais de esgotamento no Brasil. Uma volta às raízes que apontava para o futuro.

Ainda em 1963, "Mas que nada" também foi a faixa escolhida para abrir o álbum de estreia do cantor, *Samba esquema novo*, produzido por Armando Pittigliani e acompanhado pelo grupo de samba-jazz Os Copa 5, liderado pelo saxofonista e arranjador J.T. Meirelles.

Hoje considerado um clássico da MPB, o álbum também inclui sucessos como "Chove, chuva", "Rosa, menina rosa", "Vem, morena, vem" e "Balança pema". Mas foi "Mas que nada" que melhor sintetizou o esquema novo de Jorge Ben Jor, com o apelo irresistível de sua levada e de sua letra rítmica e sonora, e começou a rodar o mundo. Com a espetacular versão de Sérgio Mendes & Brasil 66, tornou-se um *big hit* nos Estados Unidos e uma das músicas brasileiras mais regravadas no mundo. Da diva do jazz Ella Fitzgerald ao grupo de hip-hop Black Eyed Peas em 2006.

O tijucano Jorge Ben Jor (Jorge Duílio Lima Menezes, 1942), de remota origem etíope, cresceu ouvindo samba e também rock and roll, que seriam amalgamados em seu estilo. No início da carreira, tanto se apresentava no Beco das Garrafas, em Copacabana, reduto da bossa nova e do samba-jazz, quanto em bailes de rock nos subúrbios do Rio. Criticado pela MPB, a partir de 1965 teve lugar cativo no palco da Jovem Guarda, ao lado de Roberto Carlos, Erasmo e Wanderléa, e, em seguida, foi abraçado pela Tropicália, que viu nele um instintivo pioneiro que realizava na prática a síntese musical que eles propunham e tentavam fazer na teoria.

Apesar de se dizer "misto de maracatu", o gênero criado por Jorge se popularizou, mais apropriadamente, como samba-rock.

Com seu samba diferente e inovador, Jorge Ben Jor fez uma revolução pacífica na MPB

Então musa da bossa nova, em 1964, Nara Leão foi até a Mangueira de Cartola (na foto com sua mulher, Dona Zica) para se banhar no samba

O sol nascerá

Cartola e Elton Medeiros, 1964

Sucesso espetacular com Nara Leão em seu álbum de estreia (*Elenco*, 1964), marca a volta de Cartola à vida musical, depois de um começo vitorioso entre os bambas do samba seguido de anos de ostracismo e alcoolismo, até ser redescoberto pelo cronista Sérgio Porto lavando carros em Copacabana e ter suas músicas gravadas por Nara.

"O sol nascerá" nasceu dois anos antes, durante uma noitada na casa de Cartola, quando o jovem Elton Medeiros aceitou o desafio de seu mestre para criar uma música na hora. E em pouco tempo os dois fizeram este samba arrebatador, dividindo tanto a música quanto a letra.

Angenor de Oliveira nasceu em 1908 e, com 11 anos, se mudou com a família para o Morro da Mangueira, onde, em 1928, ajudou a fundar a Estação Primeira. Além de ter sugerido o nome da escola, foi Cartola quem escolheu o verde e o rosa como as suas cores. Logo seus sambas desceram para o asfalto. Amigo e parceiro de Noel Rosa, nos anos 1930 teve músicas gravadas pelos maiores intérpretes da época, como Sílvio Caldas, Francisco Alves, Mário Reis e Carmen Miranda. Em 1940, esteve entre os compositores populares que Heitor Villa-Lobos levou até o maestro Leopold Stokowski, em um estúdio montado num navio ancorado na Praça Mauá, onde fez uma série de gravações depois lançadas em disco nos Estados Unidos.

Pouco depois, devastado por uma desilusão amorosa, Cartola sumiu dos bares e dos estúdios das rádios onde mostrava suas músicas e mergulhou no álcool e no abandono. Durante anos, ninguém ouviu falar dele.

No início dos anos 1960, resgatado do alcoolismo pelo amor e a dedicação de Dona Zica, o sol voltava a nascer para Cartola com a gravação de Nara, que marcava o começo da fase mais produtiva e bem-sucedida de sua carreira.

Com sua mensagem de esperança, o samba apostava na alegria e no novo dia como um elixir musical para todas as horas. Mas quando foi lançado, logo após o golpe militar de 1964, a letra também foi ouvida como uma metáfora política contra a ditadura, como nos versos "finda a tempestade / o sol nascerá".

Além de Nara, "O sol nascerá" ganhou mais quatro versões, entre elas uma do próprio Cartola em seu primeiro disco, um compacto duplo (com quatro faixas) lançado pela gravadora Mocambo, sem qualquer repercussão.

Em 1974, já com 66 anos, Cartola gravou em seu primeiro álbum solo (Discos Marcus Pereira) uma magistral versão de "O sol nascerá", com a voz já curtida por décadas de álcool, tabaco e afins, dando intensa dramaticidade à receita para quem pretende levar a vida sorrindo.

Um dos maiores melodistas da bossa nova, Carlos Lyra foi o parceiro escolhido por Vinicius de Moraes para o musical *Pobre menina rica*

Primavera

Carlos Lyra e Vinicius de Moraes, 1964

No início dos anos 1960, ambos tinham outros parceiros e uma produção intensa. Vinicius de Moraes trabalhava com Tom Jobim, Baden Powell e muitos jovens compositores, como Edu Lobo e Francis Hime, enquanto Carlos Lyra (1936) vinha de uma bem-sucedida parceria com Ronaldo Bôscoli e ainda com Nelson Lins e Barros e Geraldo Vandré. Mas, quando Vinicius pensou em uma peça musical sobre o romance entre um mendigo elegante e uma garota rica de dinheiro e pobre de amor, foi Carlos Lyra que ele chamou para escreverem as 11 canções de *Pobre menina rica*, entre elas alguns futuros clássicos da música popular brasileira.

Com sua melodia triste e pungente e os versos doloridos de saudade e abandono, "Primavera" é um deles.

Pobre menina rica não chegou a ser montado na época, mas rendeu um disco lançado pela CBS em 1964. Um ano antes, Lyra e Nara Leão, com Vinicius como narrador, apresentaram as novas músicas em formato de recital, na boate Au Bon Gourmet.

No disco, a primeira opção de Vinicius e Lyra para a protagonista era a novata Elis Regina, mas Tom Jobim, então diretor musical e arranjador, depois substituído por seu mestre Radamés Gnatalli, preferiu a cantora carioca Dulce Nunes. Entre as 11 canções da peça, estavam pelo menos mais dois futuros clássicos da dupla, "Sabe você" e "Maria Moita".

Só em 1970, *Pobre menina rica* ganhou uma montagem teatral, mas na Cidade do México, onde Lyra estava vivendo, com o texto traduzido para o espanhol por Gabriel García Márquez. No Brasil, a primeira montagem na íntegra aconteceu em 1991, dirigida por Aderbal Freire Filho. Em 1983, o musical foi adaptado para o cinema por Miguel Faria Jr., com o título de *Para viver um grande amor* e a estreante Patrícia Pillar e Djavan vivendo o insólito par romântico, mas fracassou nos cinemas. Restaram as lindas canções.

Em 1998, Tim Maia gravou uma emocionante versão de "Primavera" como uma bossa-nova temperada com soul.

Adoniran Barbosa adicionou um sotaque caipira e italianado ao samba, como em "Trem das 11", lançado pelo grupo Demônios da Garoa

Trem das 11

Adoniran Barbosa, 1964

Ficou célebre o palpite infeliz de Vinicius de Moraes de que "São Paulo é o túmulo do samba". Mas depois se esclareceu que foi apenas um desabafo do poeta, irritado com um bando de bebuns barulhentos que não o deixavam ouvir o samba que Johnny Alf tocava numa boate paulistana. Johnny havia se mudado do Rio para São Paulo, e a frase foi dita por Vinicius para consolá-lo, provocando o bairrismo paulista.

Vinicius sabia que o samba paulista já era uma realidade, com Vadico (parceiro de Noel Rosa em vários clássicos), Paulo Vanzolini (de "Ronda" e "Volta por cima"), Denis Brean ("Bahia com H" e "Boogie-woogie na favela"), Germano Mathias e, especialmente, o originalíssimo Adoniran Barbosa – que, desde os anos 1930, desenvolvia sua mistura de samba com música do interior e a linguagem da colônia italiana de São Paulo, que tinha no Brás seu quartel-general.

O próprio Vinicius já era parceiro de Adoniran no samba-canção existencialista "Bom dia, tristeza", lançado em 1957 pela sambista acima de qualquer suspeita Aracy de Almeida.

Cantor, compositor, comediante, o múltiplo Adoniran teve nos Demônios da Garoa as vozes dos seus maiores sucessos desde 1951, como "Malvina", "Joga a chave", "Saudosa maloca", "O samba do Arnesto" e o megassucesso "Trem das 11", lançado em 1964.

Adoniran desenvolveu com virtuosismo uma linguagem popular ítalo-paulistana em que os erros intencionais dão graça e humor aos seus sambas bem-construídos, como no "Samba do Arnesto":

"O Arnesto nos convidou / pro samba, ele mora no Brás / nóis fumo e não incontremo ninguém / nóis vortemo com uma baita duma reiva / Da outra vez nóis num vai mais."

E em "Tiro ao Álvaro": "De tanto levar frechada do teu olhar / meu peito até parece sabe o quê? / táubua de tiro ao Álvaro / não tem mais onde furá."

João Rubinato nasceu em Valinhos (1910) e se mudou para a capital paulista em 1932, onde começou a frequentar os estúdios de rádios e gravadoras e fez suas primeiras músicas, estreando como cantor de rádio em 1934.

Composta em 1961, "Trem das 11" esperou três anos até ser lançada pelos Demônios da Garoa. Em setembro de 1964, o disco explodiu nas rádios do Brasil, encantando o público com sua linguagem "errada" e alcunhado de "Samba do Édipo" pelo verso "minha mãe não dorme enquanto eu não chegar". Maior sucesso de Adoniran, permitiu que comprasse o sítio onde viveu até o fim da vida, em 1982.

Além dos Demônios da Garoa, o "Trem" voltou ao sucesso com Jair Rodrigues, Os Originais do Samba e com Gal Costa, em 1973.

Mascarada

Zé Kéti e Elton Medeiros, 1965

Parceria de Zé Kéti e Elton Medeiros, o samba "Mascarada" foi cantado pela primeira vez por Elton Medeiros no álbum *Roda de samba*, lançado em 1965 pelo conjunto A Voz do Morro. Idealizado e liderado por Zé Kéti, esse supergrupo começou a nascer durante o musical *Rosa de Ouro* e também contava com Elton e os bambas Paulinho da Viola, Jair do Cavaquinho, Zé Cruz, Anescarzinho e Oscar Bigode. No ano seguinte, Elton voltaria à canção, no álbum *Samba na madrugada*, que dividiu com Paulinho da Viola, e logo esse belíssimo samba melódico e refinado, com letra que descreve uma típica paixão de carnaval, se tornaria um clássico e seria adotado por muitos outros intérpretes.

Autor da melodia, Elton Medeiros revelou em 2010, numa entrevista para o jornalista Chico Pinheiro no programa *Sarau* (GloboNews), que, ao entregar a música, alertou o parceiro que se tratava de "um samba que não é samba nem é bossa nova". Zé Kéti não se intimidou com o samba diferente e escreveu a letra inspirado em experiência própria. Durante o carnaval, participando do desfile do Bloco das Piranhas, tinha se encantado por uma moça que se escondia atrás de uma máscara. Apesar dos flertes e dos amassos, só após o terceiro dia de folia o sambista conseguiu conhecer o rosto da misteriosa musa.

Elton conta que Zé Kéti chegou a apresentá-lo à ex-mascarada, mas o namoro não durou muito, era coisa passageira de carnaval. Ao contrário da arrebatadora canção, que foi gravada por Jair Rodrigues, Beth Carvalho, Zé Renato, Joyce e recebeu uma antológica interpretação de Emílio Santiago, chegando ao século XXI com o sucesso da gravação de Zeca Pagodinho.

O namoro não durou muito, mas, dois anos após lançar "Mascarada", Zé Kéti voltou a se inspirar no episódio para cantar mais um amor de carnaval e emplacou outro grande sucesso popular com a marcha-rancho "Máscara negra".

Zé Keti (na foto com Nara Leão) se inspirou num namoro durante o carnaval para o samba em parceria com Elton Medeiros

Marcos Valle trocou o curso de Direito pela música e, aos 22 anos, emplacou seu primeiro sucesso

Preciso aprender a ser só

Marcos Valle e Paulo Sérgio Valle, 1965

Como muitos outros garotos de sua geração, o carioca Marcos Valle (1943) foi contaminado pelo vírus da bossa nova. Já fluente no acordeom e no piano, com o impacto da entrada em cena de João Gilberto, também foi estudar violão, chegando a formar um trio com Edu Lobo e Dori Caymmi. Logo começou a fazer suas primeiras composições, com letras do irmão Paulo Sérgio (1940). Era o início de um caminho sem volta, que fez Marcos trocar o curso de Direito na PUC pela música popular. Paulo Sérgio se formou advogado, mas acabou se tornando um dos maiores letristas do Brasil, com Marcos e outros parceiros.

A balada romântica "Preciso aprender a ser só", feita por Marcos com apenas 21 anos, nasceu clássica e é um exemplo da excelência e da maturidade artística atingidas precocemente pelos irmãos. A música foi apresentada pela primeira vez em maio de 1964 por Elis Regina, num show para universitários em São Paulo, com participação de Marcos e recepção apoteótica. Em abril do ano seguinte seria lançada no álbum *Dois na bossa*, de Elis e Jair Rodrigues, e um ano depois, em uma versão jazzística, no LP *Samba eu canto assim*, de Elis Regina.

A versão de Marcos também saiu em 1965, em seu segundo álbum solo, *O compositor e o cantor*, e logo foi gravada por Os Cariocas, Dóris Monteiro, Alaíde Costa e Pery Ribeiro. Quase uma década depois, também ganhou uma homenagem transversa de Gilberto Gil, numa belíssima balada que faz um contraponto com a canção dos irmãos Valle sob uma ótica zen:

"E quando escutar um samba-canção / Assim como: 'Eu preciso aprender a ser só' / Reagir e ouvir o coração responder: / eu preciso aprender a só ser."

Vertida para o inglês por Ray Gilbert como "If You Went Away", também fez carreira no mundo do jazz e do pop. Em 1966, Astrud Gilberto gravou-a no álbum *Look to the Rainbow*, mas usou como título uma tradução quase literal do original, "Learn to Live Alone". No mesmo ano, como "If You Went Away", foi gravada por Sylvia Telles no álbum *The Face I Love*. Dois anos depois, foi regravada por Marcos Valle em seu primeiro disco produzido nos Estados Unidos, *Samba '68*.

Mas sua definitiva incorporação ao seleto bloco de standards do jazz foi com a apaixonada interpretação da diva Sarah Vaughan, no álbum *I Love Brazil*, em 1977.

Dupla de irmãos hitmakers: Paulo Sérgio, três anos mais velho, foi o letrista inicial de Marcos Valle

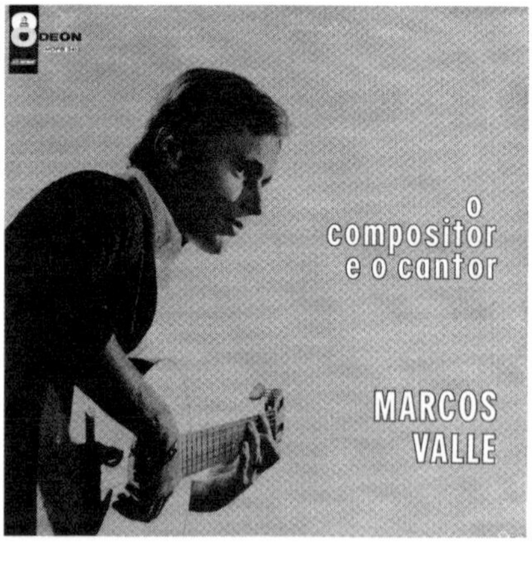

Samba de verão

Marcos Valle e Paulo Sérgio Valle, 1965

Além do talento, Marcos ganhou um presente geográfico da vida: Tom Jobim morava em frente a sua casa, no Leblon, e Marcos pôde beber fartamente dos ensinamentos do mestre, que via em seu jovem discípulo um grande talento criador e fazia dele o mais "jobiniano" da segunda geração da bossa nova.

É o caso de "Samba de verão", em que uma frase musical simples se desenvolve em sequências harmônicas tipicamente bossa-novistas que vão criando um clima leve e solar, projetando imagens de praias no verão carioca e meninas bonitas de biquíni, numa combinação também presente na "Garota de Ipanema" de seu mestre.

Com um balanço leve e envolvente, luminoso e caloroso, o narrador, com o coração aquecido pelo verão, descreve os encantos de uma musa que passeia pela praia, com "esse mar do olhar" e "vai ver não tem quem amar". É uma típica cantada carioca.

Na época, a bossa nova já andava desgastada no Brasil, mas a qualidade da construção de "Samba de verão" provou que o estilo ainda era capaz de mostrar frescor e reservar muitas surpresas. Como o sucesso nos Estados Unidos. Primeiro e surpreendentemente, com uma versão instrumental, do organista Walter Wanderley, que foi um estrondoso sucesso popular e chegou aos primeiros lugares da *hit parade* da *Billboard*.

Marcos gravou a canção em seu segundo álbum solo, *O compositor e o cantor* (1965), com arranjos e regência de Eumir Deodato – que, meses antes, tinha lançado uma versão instrumental da música com seu grupo, Os Catedráticos. Sucesso nas rádios, foi regravada ainda naquele ano por vários intérpretes.

Depois, com letra em inglês de Norman Gimbel e os títulos de "Summer Samba" ou "So Nice", se tornou uma das músicas brasileiras mais regravadas no mundo. Segundo levantamento da editora americana BMI, "Samba de verão" só fica atrás da "Garota de Ipanema". No século XXI, voltou a fazer grande sucesso com Bebel Gilberto e Stacey Kent em inglês e com Caetano Veloso em português.

Baden & Vinicius:
a parceria que criou
os afro-sambas

Canto de Ossanha

Baden Powell e Vinicius de Moraes, 1966

Com a bossa nova já decadente no Brasil e seu parceiro Tom Jobim morando nos Estados Unidos, Vinicius de Moraes mudou de novo o rumo da música brasileira quando criou com o violonista Baden Powell o afro-samba, um estilo oposto à bossa nova branca e carioca, inspirado pelos ritmos e cantos de candomblé da Bahia e pelo mundo mágico dos orixás.

Os primeiros afro-sambas, "Consolação" e "Berimbau", caíram como bombas de ritmo sobre o intimismo da bossa nova. O fraseado musical ecoava cantos ancestrais, cheios de dramaticidade e tensões que explodiam em refrões abertos e festivos, cantados em coro com Elis Regina e Jair Rodrigues pelos auditórios do programa *O fino da bossa* e também gravados com sucesso pelo Quarteto em Cy e pelo Tamba Trio.

Tudo começou em 1962, quando Vinicius, empolgado com discos de cantos de candomblé da Bahia presenteados pelo poeta Carlos Coqueijo, encontrou Baden, recém-chegado de uma viagem a Salvador, onde ficara fascinado com os ritmos e os cantos dos terreiros. Além de anunciar o novo estilo, "Berimbau" e "Consolação" foram grandes sucessos populares como um novo caminho da música brasileira.

Vinicius, que se dizia o branco mais preto do Brasil, e Baden, um mulato carioca que era o maior violonista do momento, viveram três meses num belíssimo apartamento da mulher do Poetinha no Parque Guinle. Após dezenas de litros de uísque, saíram com os primeiros 25 afro-sambas, entre eles o clássico "Canto de Ossanha".

"O canto da mais difícil / E a mais misteriosa das deusas / Do candomblé baiano / Aquela que sabe tudo / Sobre as ervas / Sobre a alquimia do amor."

Baden e Vinicius continuaram compondo até 1966, quando gravaram o disco histórico, com oito afro-sambas, arranjos do maestro Guerra Peixe e vocais do Quarteto em Cy – um dos melhores e mais influentes discos da história da música brasileira.

No texto de apresentação, Vinicius dizia que Baden "conseguiu carioquizar, dentro do samba moderno, o candomblé afro-brasileiro, dando-lhe, ao mesmo tempo, uma dimensão mais universal".

Domingo no parque

Gilberto Gil, 1967

O ano era 1967 e a cidade, São Paulo, novo centro irradiador da música brasileira com a TV Record. A emissora dominava a audiência com uma programação que apresentava um musical todas as noites em horário nobre, desde *O fino da bossa*, com Elis Regina e Jair Rodrigues, até *Jovem Guarda*, com Roberto Carlos, Erasmo e Wanderléa, além dos festivais. Estes passaram a ser os grandes eventos musicais a partir de 1965, inicialmente na TV Excelsior, quando venceu "Arrastão", de Edu Lobo e Vinicius de Moraes, e 1966, já na Record, quando "A banda", de Chico Buarque, e "Disparada", de Théo de Barros e Geraldo Vandré, empataram no primeiro lugar e dividiram o país.

Os ânimos estavam exaltados, a discussão musical e o debate político, restrito pela ditadura, se misturavam com artistas e canções que representavam posições quase sempre de oposição ao governo. O festival de 1967 começou cercado de altas expectativas, os grandes nomes da nova geração de (ex-)universitários como Chico Buarque, Caetano Veloso, Gilberto Gil, Edu Lobo e Geraldo Vandré, já mais amadurecidos, apresentariam suas melhores canções. As torcidas organizadas se preparavam para gritar pelos seus ídolos e vaiar todos os outros concorrentes.

A TV Record estimulava a briga entre a Jovem Guarda e a nova MPB, opondo a "música jovem" à "música brasileira" e exacerbando o nacionalismo. Seis meses antes do festival, a Record promoveu uma bizarra passeata contra a guitarra elétrica. O instrumento seria o símbolo da dominação estrangeira, mas o protesto, liderado por Elis Regina, Geraldo Vandré e Gilberto Gil, foi ridicularizado pela imprensa.

Gil (1942), que não acreditava em nada daquilo, logo viu que tinha se precipitado. Afinal, ele ficara enlouquecido com o álbum *Sgt. Peppers*, dos Beatles, e pensava em apresentar sua música no festival com guitarras, muitas guitarras, e outras sonoridades do rock internacional. Como os amigos e parceiros Caetano Veloso, Torquato Neto e Capinam, Gil não estava satisfeito com o nacionalismo ortodoxo da MPB e queria uma nova música brasileira, com uma linguagem pop que misturasse os ritmos nacionais com o rock e outros gêneros, num estilo que no futuro seria chamado de tropicalista.

Quando Gil mostrou a sua música a amigos e concorrentes, todos ficaram apavorados: seria muito difícil ganhar de "Domingo no parque". Era um baião, mas um baião muito diferente de tudo o que se conhecia, com uma letra que parecia um filme, com seus closes, planos gerais e *travellings* em montagem fragmentada, contando a história de um triângulo amoroso que termina em sangue e morte na roda-gigante de um parque de diversões.

Para o festival, Gil encomendou ao maestro Rogério Duprat um grande arranjo de orquestra, inspirado nos de George Martin para os Beatles,

Gilberto Gil defende "Domingo no Parque", canção-fundadora da Tropicália

e chamou um jovem trio de rock para cantar e tocar com ele: os Mutantes, com a guitarra de Sérgio Dias, o baixo de Arnaldo Baptista e os vocais e as percussões de Rita Lee.

Mesmo em um festival marcado por vaias ferozes e generalizadas, a canção de Gil impôs respeito e empolgou o público, que sentia estar diante de algo realmente novo na música brasileira. Sim, a guitarra e o baixo roqueiros se misturavam muito bem com o baião, se harmonizavam com as sonoridades clássicas das cordas e dos metais da orquestra em fraseados modernos e elegantes, em perfeita sincronia com a letra dramática e cinematográfica.

"Domingo no parque" empolgou, provocou grande polêmica, mas não ganhou, embora a maioria dos concorrentes a considerassem a melhor – e mais inovadora – canção do festival. Numa disputa apertadíssima, perdeu para "Ponteio", de Edu Lobo e Capinam, quintessência da melhor MPB possível em letra e música, enquanto Chico Buarque ficava em terceiro com "Roda viva" e Caetano Veloso, em quarto com "Alegria, alegria".

A música brasileira nunca mais seria a mesma depois daquela noite em 1967, em que nasceu, mas ainda sem ser batizado, o Tropicalismo.

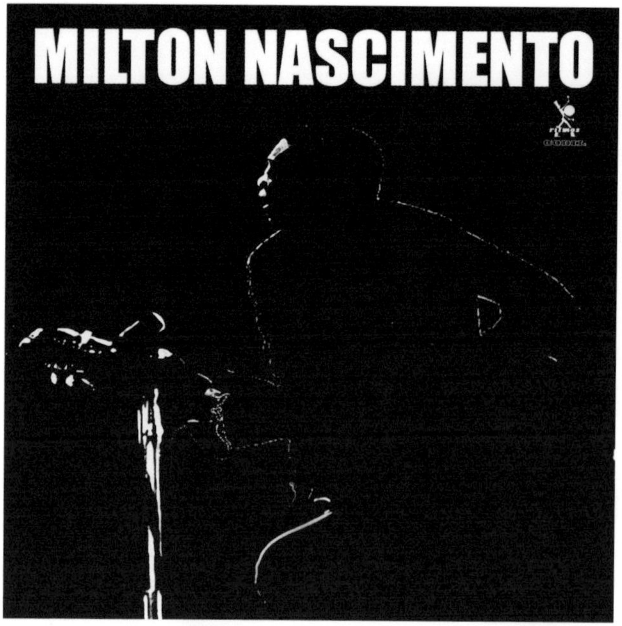

Milton Nascimento canta no terceiro FIC, em 1967, no qual concorreu com três canções, incluindo "Travessia"

Travessia

Milton Nascimento e Fernando Brant, 1967

Em 1967, depois de cinco anos ralando como músico da noite paulista e nos bailes da vida, Milton Nascimento (1942) viu a roda da fortuna girar a seu favor, quando a já popularíssima Elis Regina gravou a sua "Canção do sal" e o encorajou a participar, como intérprete, do II Festival Nacional de Música Popular Brasileira, na TV Excelsior. Milton se classificou em quarto lugar com "Cidade vazia", de Baden Powell e Lula Freire, mas detestou a experiência de ver colegas se digladiando na disputa e jurou nunca mais participar dos festivais competitivos que empolgavam o país.

Promessa feita e cumprida, certa noite o carioca mais mineiro do Brasil foi surpreendido pelos telefonemas de parabéns de amigos. Para sua surpresa, ele estava entre os selecionados no II Festival Internacional da Canção, da TV Globo, com nada menos que três músicas, inscritas à sua revelia pelo amigo Agostinho dos Santos. Sabendo da decisão do compositor, Agostinho – um dos principais intérpretes brasileiros –, pediu-lhe uma fita com "Morro Velho", "Travessia" e "Maria, minha fé" para mostrar a seu produtor e inscreveu-as no festival.

O resto é história. "Maria, minha fé", interpretada por Agostinho dos Santos, caiu na primeira eliminatória, mas as outras duas, ambas na voz privilegiada de Milton, chegaram à finalíssima: "Travessia" ficou com o segundo lugar (atrás de "Margarida", de Guttemberg Guarabyra) e "Morro Velho", com o sétimo. De quebra, Milton saiu do Maracanãzinho com o prêmio de melhor intérprete. Aos 24 anos, também chamou a atenção dos convidados internacionais que participavam do festival, como o produtor americano Creed Taylor, com quem assinou um contrato para gravar nos Estados Unidos. Como na canção que o consagrou, soltou a voz nas estradas para não mais parar. Foi a sua travessia do anonimato ao sucesso e ao prestígio.

"Travessia" foi a primeira parceria de Milton com o mineiro Fernando Brant (1946-2015), que até então nunca tinha escrito letras. Milton vinha trabalhando numa canção que batizara de "O vendedor de sonhos", mas, empacado na letra, foi até Belo Horizonte em busca da ajuda do amigo. Só depois de muita insistência, Brant concordou em tentar e acabou também fazendo a sua travessia pessoal para se tornar um dos mais importantes letristas brasileiros.

Inicialmente sem a letra escrita por Tom, “Wave” foi lançada em seu quarto LP solo (e o batizou)

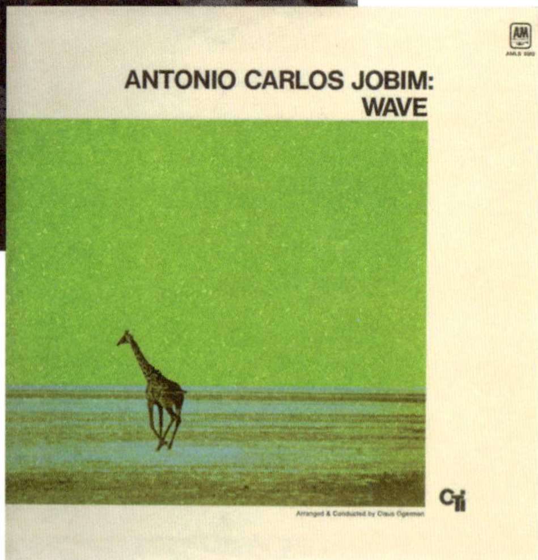

Wave (Vou te contar)

Tom Jobim, 1967

Tom Jobim teve grandes parceiros, como Vinicius de Moraes, Newton Mendonça e Chico Buarque, mas também fazia letras muito bem e, a partir de um momento de sua carreira, passou a assinar sozinho cerca de 40 canções, não só em português como em inglês, entre elas vários clássicos, como "Wave".

Inicialmente em versão instrumental, "Wave" batizou o quarto disco solo de Jobim, gravado entre maio e junho de 1967 no Van Gelder Studio, em Nova Jersey. No ano seguinte, já com sua letra e a participação no arranjo, a canção foi gravada pelo grupo vocal Quarteto 004 no Brasil. Em seguida, "Wave" iria abrir e fechar o *pot-pourri* "Tributo a Tom Jobim", ao lado de "Fotografia" e "Outra vez", faixa do disco *Elis especial*, de Elis Regina. Desde então, essa onda não parou de bater, incluída no repertório de inúmeros intérpretes ao redor do mundo.

Ao contrário dos discos anteriores de Tom – todos feitos por encomenda de gravadoras americanas, reunindo regravações de seus sucessos –, o repertório de *Wave* era quase todo inédito. Muitas das novas músicas foram escritas durante uma longa temporada em Los Angeles, enquanto aguardava o início das gravações de *Francis Albert Sinatra & Antonio Carlos Jobim*, que foi finalizado em janeiro de 1967. Nesse período, saudoso do Rio e da família, incomodado com o clima árido e seco da região, ele compôs uma safra que incluiu a bela canção "Triste" (com o célebre verso "tua beleza é um avião") e os temas instrumentais "Batidinha", "The red blouse", "Antigua", "Captain Bacardi" e "Mojave".

A frase "Vou te contar", que abre a canção e também virou o subtítulo de "Wave", foi uma sugestão de Chico Buarque, com quem Tom começava a trabalhar em parceria. A partir daí, escreveu a letra toda. Meses depois, fez a impecável versão em inglês, gravada por grandes vozes da canção americana.

Pra não dizer que não falei das flores (Caminhando)

Geraldo Vandré, 1968

Ele queria fazer uma canção direta, com poucos acordes, veículo para a mensagem que pretendia passar. E acertou em cheio. Na forma, no conteúdo e também na maneira como apresentou "Pra não dizer que não falei das flores" nas eliminatórias e na final do III Festival Internacional da Canção Popular, em setembro de 1968. Enquanto a maioria dos intérpretes subiam ao palco com grande orquestra, e tropicalistas ainda adicionavam guitarras e grupos de rock, Geraldo Vandré (1935) abriu mão de qualquer acompanhamento: apenas sua voz e seu violão.

Voz e violão que, a cada nova etapa do festival, passaram a ser amplificados pelo coro da plateia. Até a noite final, em 29 de setembro, para um Maracanãzinho lotado, quando "Caminhando" (como ficou conhecida a canção) perdeu o primeiro lugar para "Sabiá", de Tom Jobim e Chico Buarque. Esta, mais sofisticada musicalmente, também tinha uma letra política, falava do exílio e de um Brasil que se distanciava de muitos de seus encantos. Mas, no fla-flu que virou a disputa entre as duas, não havia lugar para sutilezas. A parcela mais esquerdista do público adotou a música do cantor e compositor paraibano como um hino de resistência ao regime, com versos como "quem sabe faz a hora, não espera acontecer", "acreditam nas flores vencendo o canhão" e "há soldados armados, amados ou não, quase todos perdidos de armas na mão".

A menção às Forças Armadas incomodou especialmente os militares, quando setores mais radicais passaram a pedir a cabeça de Geraldo Vandré. Após a decretação do Ato Institucional nº 5, em 13 de dezembro de 1968, o cantor foi obrigado a sumir de cena. Por quase três meses ele se escondeu na casa de amigos, até sair clandestinamente do Brasil, em 1969, para um exílio que se prolongou por quatro anos.

"Caminhando", é claro, caiu nas garras da Censura, os discos foram retirados das lojas e sua execução pública foi proibida. Até 1979, ano da Anistia, quando finalmente voltou às paradas, regravada pela cantora Simone. Já o compositor pôde retornar ao Brasil em 1973, no auge da ditadura, após muitas negociações sigilosas que selaram um acordo com o governo. Voltou mas não retomou a carreira artística. Desde então, foram raras suas aparições públicas e a única nova canção que lançou, "Fabiana", era uma homenagem à Força Aérea Brasileira.

Geraldo Vandré não ganhou o festival, mas conseguiu emplacar a canção mais política do período, adotada pela oposição à ditadura militar que ficou mais dura a partir de 1968

Gilberto Gil partiu para o exílio londrino, em 1969, com esse samba de despedida

Aquele abraço

Gilberto Gil, 1969

A situação não poderia ser pior nem mais triste. Preso após o AI-5, em dezembro de 1968, Gilberto Gil achava que ficaria ali a vida inteira ou sumiriam com ele. Dois meses depois, quando foi libertado e recebeu a ordem para sair do Brasil, encontrou a inspiração para compor um dos mais alegres e empolgantes sambas de nossa história musical, que se transformou em um sucesso instantâneo.

Lançada em agosto de 1969 num *single*, "Aquele abraço" foi uma das músicas mais tocadas nas rádios brasileiras e um dos discos mais vendidos do ano, num sucesso de dimensões até então inéditas na carreira de Gil, que acompanhou tudo a distância, em Londres, num exílio que se estendeu por três anos.

Em entrevista ao compositor Carlos Rennó para o livro *Todas as letras*, Gil relembrou como nasceu "Aquele abraço". Em meados de 1969, depois da prisão em São Paulo e dois meses trancado com Caetano Veloso num quartel do Exército no subúrbio carioca de Deodoro, e ainda um período de liberdade vigiada em Salvador, Gil veio ao Rio tratar com os militares a sua saída do Brasil. Na casa da mãe de Gal Costa, dona Mariah, e depois no voo de volta à Bahia, criou sua ode à Cidade Maravilhosa e sua canção de despedida. "Finalmente eu poderia sair do país e tinha que dizer *bye-bye*; sumarizar o episódio todo que estava vivendo numa catarse. Que outra coisa para um compositor fazer uma catarse senão numa canção?"

No seu samba, Gil exaltou o Rio de Janeiro e alguns de seus grandes símbolos pop, sem conotações políticas ou qualquer referência à prisão. No lugar do bairro de Deodoro, onde ficou preso, preferiu botar outro subúrbio da Central, Realengo, rimando com torcida do Flamengo, embora fosse torcedor do Fluminense, abraçando a Portela mesmo sendo mangueirense, saudando a Banda de Ipanema, a moça da favela, o "Velho Guerreiro", o palhaço Chacrinha, que balançava a pança, buzinava a moça e comandava a massa. Por meio da beleza e da alegria do Rio de Janeiro, Gil mandava um abraço de despedida a "todo o povo brasileiro", que seria fartamente retribuído ao longo dos anos até hoje.

Composta por Jorge Ben Jor e lançada pelos amigos tropicalistas Gal, Gil e Caetano, foi após a gravação de Wilson Simonal que "País tropical" virou um dos maiores hits do Brasil

País tropical

Jorge Ben Jor, 1969

Depois de uma estreia retumbante, em 1963, com "Mas que nada", "Chove chuva" e "Por causa de você, menina", a música de Jorge Ben Jor, na época ainda Jorge Ben, vinha perdendo espaço. Num Brasil cada vez mais politizado e polarizado, a espetacular batida de seu samba-rock e o uso da guitarra elétrica passaram a ser vistos pela turma mais sectária da MPB como sinais inimigos, símbolos do imperialismo ianque e do abominável rock and roll.

"País tropical" foi primeiro gravada em 1969 pelos tropicalistas Caetano Veloso, Gilberto Gil e Gal Costa, que adoravam o estilo de Jorge e tinham sua música como referência do movimento, marcando o início da sua volta ao sucesso, incorporando influências do Tropicalismo à sua maneira de compor. Logo em seguida, teve uma espetacular gravação de Sérgio Mendes nos Estados Unidos. Mas foi com Wilson Simonal que "País tropical" se tornou um dos maiores hits da história da música brasileira.

Em 1970, o carioca Wilson Simonal rivalizava com Roberto Carlos como o cantor mais popular do Brasil, como criador de um estilo alegre e dançante que chamava de "pilantragem". Emplacando um sucesso atrás do outro, Simonal ouviu a música de seu velho amigo Jorge sobre as maravilhas de viver num país abençoado por Deus e bonito por natureza, de ser Flamengo e ter uma nega chamada Teresa, e adorou seu balanço irresistível. Encantou-se também com sua linguagem malandra e ufanista, que poderia se confundir com a radicalização nacionalista da ditadura na campanha "Brasil, Ame-o ou deixe-o", mas se tornou o maior sucesso de sua carreira e uma das músicas mais queridas de nossa história.

Simonal também popularizou uma versão alternativa da letra, criada por Jorge, em que as palavras eram cantadas sem a última sílaba, e se tornou mais popular que a versão original: "Mó num pá tropi" se tornou ícone sonoro de um tempo.

Com uma levada rítmica empolgante e uma melodia intuitiva e fluente, a declaração de amor ao Brasil de Jorge, por sua qualidade e sinceridade, superou qualquer eventual conexão com o ufanismo autoritário e sobreviveu no tempo como um hino de alegria e brasilidade.

Paulinho da Viola filmou em samba a magia de um desfile da Portela

Foi um rio que passou em minha vida

Paulinho da Viola, 1969

Traição, remorso e redenção se combinam na origem deste hino informal da Portela e um dos maiores sambas de todos os tempos. A história começa em 1968, quando o portelense da gema Paulinho da Viola (1942) musicou "Sei lá, Mangueira", uma letra de Hermínio Bello de Carvalho, que planejava incluir o samba num show celebrando a verde e rosa. Mas Paulinho foi surpreendido pela notícia de que o poeta mudara de ideia. Percebendo a força do novo samba, Hermínio o inscreveu no IV Festival da Música Popular Brasileira, na TV Record, em que foi interpretado por Elza Soares. Sucesso imediato, deixou em pânico Paulinho, então presidente da ala de compositores da Portela: o que diriam seus colegas na escola de Oswaldo Cruz dessa declaração de amor à rival?

Perturbado com a repercussão da música na Portela, coração dividido e réu confesso, o jovem sambista só pensava naquilo. Até que, certa tarde, caminhando pelo Centro do Rio, este clássico em formato de samba-enredo, com uma longa letra de 29 versos, começou a brotar em sua cabeça e em seu coração azul e branco. Normalmente vagaroso no compor, Paulinho criou "Foi um rio que passou em minha vida" de uma lavada só, traduzindo plasticamente a sua sensação ao assistir a um desfile da Portela: "... aquele azul / não era do céu / nem era do mar / foi um rio que passou em minha vida / e o meu coração se deixou levar."

Gravada em 1969, saiu inicialmente num compacto duplo feito para lançar "Sinal fechado", a canção vencedora naquele ano do V Festival da Record. Mas fez tanto sucesso que, no ano seguinte, "Foi um rio que passou em minha vida" voltou e deu nome ao segundo álbum solo de Paulinho, tornando-se o maior sucesso de sua carreira.

No carnaval de 1970, por sugestão do então presidente da Portela, Natal, o samba foi cantado antes do início do desfile. Desde então, "Foi um rio..." virou uma espécie de amuleto sonoro, esquentando a entrada da escola na avenida a cada carnaval, número obrigatório nos ensaios na quadra ou, seja qual for a agremiação, em qualquer roda de samba que se preze.

Proibida semanas após o disco chegar às lojas, "Apesar de você" já tinha virado um hino de protesto contra a ditadura militar. Veto que só aumentou seu apelo

Apesar de você

Chico Buarque, 1970

Em 1970, depois de um autoexílio de dois anos na Itália, Chico Buarque de Hollanda (1944) voltou ao Brasil para enfrentar o clima de terror da ditadura e a marcação implacável da Censura, que exigia aprovação das músicas antes que fossem gravadas.

Quando os advogados da gravadora Philips mandaram aquela música para o Departamento de Censura Federal (que, em 1972, seria formalizado como Divisão de Censura de Diversões Públicas, DCDP), então responsável pela triagem, não tinham a menor expectativa de liberação. Afinal, tema e autor batiam de frente com os fundamentos do regime vigente. Mas o censor ou era um idiota ou um patriota, e "Apesar de você" foi liberada sem cortes e gravada imediatamente.

Assim que as rádios começaram a tocar, virou um sucesso instantâneo em todo o Brasil. Ninguém acreditava no que ouvia: um samba extrovertido, alegre e debochado, cantando o que tanta gente queria dizer e ouvir, um recado direto à ditadura, abusado e contundente. Grande samba que lavou a nossa alma.

Em poucos dias o Brasil inteiro estava cantando "Apesar de você" como um hino da resistência, como um desafio e uma esperança, a primeira que experimentávamos desde o AI-5, decretado em dezembro de 1968. Mas a alegria durou pouco: logo os órgãos da repressão perceberam o tamanho da encrenca e tomaram providências. A música foi sumariamente proibida, e os discos, confiscados nas lojas. A fábrica da Philips foi invadida pelo Exército e todos os discos com a canção maldita foram apreendidos e destruídos.

Tarde demais: mais de 100 mil discos já tinham sido vendidos e, mesmo sem tocar no rádio, a música circulava em cópias de cassete, e todo mundo já tinha aprendido e cantava, cada vez mais, com mais força, em qualquer lugar, a qualquer pretexto.

Chico, mais uma vez, foi intimado a dar explicações e, cínica e deslavadamente, disse a seu interrogador que o samba era para uma mulher muito mandona e autoritária. Drible de gênio da resistência democrática, tornou-se uma das canções mais cantadas do Brasil. E custou a Chico a vingança da Censura ultrajada, que ordenou que, a partir daí, toda e qualquer obra dele deveria ser interditada, mesmo que fosse uma cantiga de ninar, levando-o a criar o personagem Julinho da Adelaide para novos dribles na ditadura.

Tijolo a tijolo,
Chico Buarque
construiu uma das
mais engenhosas
canções brasileiras

Construção

Chico Buarque, 1971

Marco divisor em sua obra e carreira, com essa canção e o disco de mesmo nome lançado em 1971, Chico Buarque (1944) mostrou aos seus (poucos) críticos que era muito mais do que um continuador de Noel Rosa ou um ótimo letrista que também fazia músicas. A densa e pesada "Construção" é uma engenhosa e sofisticada composição de estrutura matemática que remete a João Cabral de Melo Neto, montada com permutações de palavras-chave sobre uma marcação rítmica obsessiva e crescente, para desenvolver em rimas proparoxítonas e virtuosísticas a história trágica da morte de um operário de construção.

Numa canção cinematográfica, com imagens dramáticas de um cotidiano massacrante, a letra construída por Chico, além do rigor literário, mostra sinais da estética da Poesia Concreta, desenvolvida pelos irmãos Haroldo e Augusto de Campos e por Décio Pignatari, que tanto influenciaram e apoiaram os tropicalistas.

"E tropeçou no céu como se ouvisse música / E flutuou no ar como se fosse sábado / E se acabou no chão feito um pacote tímido / Agonizou no meio do passeio náufrago / Morreu na contramão atrapalhando o público."

Fundamental para a potência da gravação de Chico foi a grandiosidade épica e ruidosa do arranjo do tropicalista-concretista Rogério Duprat, grande maestro da vanguarda musical paulistana que teve papel fundamental nos trabalhos que Caetano, Gil e os Mutantes fizeram durante a Tropicália.

No mesmo disco, mostrando sua evolução e amadurecimento musical e poético, Chico ainda apresentava músicas poderosas como a irada "Deus lhe pague" (que décadas depois seria gravada por grupos de heavy metal), a opressiva "Cotidiano", a belíssima "Olha, Maria" (com Tom Jobim) e "Samba de Orly" (com Toquinho), mas foi a faixa-título que mais se destacou, apontando para os caminhos que a obra de Chico iria seguir.

Lançada em 1971, "Detalhes" abriu o álbum que, para muitos, é o melhor de Roberto Carlos

Detalhes

Roberto Carlos e Erasmo Carlos, 1971

Faixa de abertura e principal destaque do disco que lançou em 1971, esta balada devastadora funcionou como um rito de passagem na carreira de Roberto Carlos (1941). Aos 30 anos, ele começava a deixar para trás o ídolo da Jovem Guarda para se transformar no maior cantor romântico brasileiro. Sucesso popular imediato e até hoje uma das mais amadas pelo seu público, a canção também ganhou aplausos unânimes da crítica, que na época ainda costumava desmerecer e subavaliar a obra de Roberto e Erasmo.

Mais um fruto da parceria com Erasmo Carlos (1941), a letra da música, em forma de *list song*, lembra os pequenos mas tão importantes detalhes que marcam as lembranças felizes de um amor passado, mas ainda vivo: "a velha calça desbotada", "os erros do meu português ruim", "o ronco barulhento do meu carro"... e a advertência irônica "não vá dizer meu nome à pessoa errada".

Como conta o biógrafo proscrito Paulo Cesar de Araújo no livro proibido *Roberto Carlos em detalhes*, apesar de ter consciência de que acabara de criar um clássico, movido por seu lendário perfeccionismo, Roberto implicou com a palavra "ronco", por sua sonoridade bruta e possíveis outros sentidos pouco poéticos. E, até entrar no estúdio, testou a letra com diversos amigos, mas, como ninguém estranhou, o ronco ficou na história da música brasileira.

Roberto começou a compor "Detalhes" sozinho, numa noite em março de 1971, em São Paulo, onde vivia na época. No dia seguinte, ao ouvir o rascunho que gravara, percebeu que estava diante de algo maior. Animado e ansioso, sem querer perder tempo e o momento da inspiração, ligou para Erasmo no Rio, que pegou o primeiro voo e naquela mesma tarde terminaram a canção.

A inspiração e a intuição de Roberto não falharam. "Detalhes" nasceu clássica e conquistou instantaneamente todos que a ouviram e, meses depois, abriu o seu álbum do ano. Um de seus melhores discos, seu poderoso repertório incluía uma composição que Caetano fez para ele ("Como dois e dois") e outras pérolas com Erasmo, como "Amada amante", "Todos estão surdos" e "Debaixo dos caracóis dos seus cabelos", dedicada a Caetano, então exilado em Londres, mas "Detalhes" foi a que bateu mais forte.

A gravação de Roberto foi valorizada por um sofisticado arranjo do maestro americano Jimmy Wisner, e a levada rítmica e a estrutura harmônica de "Detalhes" lançaram um modelo de canção que depois foi infinitamente imitado e explorado no Brasil.

Não quero dinheiro (Só quero amar)

Tim Maia, 1971

No fim dos anos 1960, depois do AI-5 que endureceu a ditadura, a música brasileira estava em crise. A MPB parecia ter chegado a um impasse criativo, com os seus principais nomes (Caetano, Gil, Chico Buarque, Edu Lobo, Geraldo Vandré) fora do país. O Tropicalismo, que havia rachado a MPB em busca de liberdade e modernização pop, mas não chegou a ter sucesso popular, praticamente acabou com o exílio de Gilberto Gil e Caetano Veloso em Londres. O rock brasileiro, que nunca chegou a ser um movimento, se resumia aos casos isolados de Rita Lee, Raul Seixas e Mutantes. É nesse vazio que surge como um furacão Tim Maia.

Depois de cinco anos nos Estados Unidos, Sebastião Rodrigues Maia (1942-1998) voltou ao Brasil com 23 anos e uma grande novidade: a mistura explosiva do funk, do soul e do R&B americanos com ritmos nacionais – uma alquimia sonora que mudou os rumos da música brasileira, que ficou mais alegre, mais suingada, mais negra e mais romântica.

Em 1968, Tim emplacou seu primeiro sucesso, o funk raivoso "Não vou ficar", que foi um marco na carreira de Roberto Carlos. Um ano depois, começou a se tornar conhecido nacionalmente por seu sensacional dueto com Elis Regina em "These Are the Songs", em que fazia uma integração de soul e bossa nova. Até que, em 1970, foi contratado pela Philips para seu primeiro LP, um arrasa-quarteirão que se tornou o maior sucesso e a melhor novidade do ano, graças a hits como "Azul da cor do mar" e "Coroné Antônio Bento", uma recriação de uma composição de João do Vale e Luiz Wanderley, como uma pioneira fusão de funk com xaxado.

Mas foi no seu segundo álbum, em 1971, que Tim Maia sedimentou de vez a sua original mistura. No repertório estava o clássico "Não quero dinheiro (Só quero amar)", uma melodia construída sobre uma levada soul seca, que se desenvolve em uma sequência ascendente para desembocar no refrão irresistível, síntese de um novo gênero musical que conquistou imediato sucesso popular, influenciando as gerações que vieram depois.

Nos anos 1990 foi regravada com grande sucesso por Marisa Monte e Ivete Sangalo.

Do segundo álbum solo de Tim Maia, "Não quero dinheiro (Só quero amar)" sintetiza o soul carioca do cantor e compositor

Último parceiro de Vinicius, o violonista Toquinho estreou com chave de ouro, nesse samba lançado pela dupla e a cantora Marilia Medalha

Tarde em Itapuã

Toquinho e Vinicius, 1971

A partir dos afro-sambas que fez com Baden Powell, no início dos anos 1960, o carioca e "branco mais preto do Brasil" foi virando baiano. Até se mudar de mala e cuia para uma casa na praia de Itapuã com sua nova mulher, a baiana Gessy Gesse, numa temporada que inspirou a criação de um dos seus maiores sucessos na parceria com o violonista paulistano Toquinho. A letra hedonista é um autorretrato do artista maduro curtindo a vida e o amor: "Um velho calção de banho / um dia pra vadiar..."

Em maio de 1969, cinco meses após o AI-5, Vinicius foi aposentado compulsoriamente do Itamaraty – o que, de certa forma, facilitou a sua vida de artista, a qual passou a exercer plenamente. Com 56 anos, ele se livrou de vez dos ternos, das exigências e dos protocolos da carreira diplomática para ser artista e para continuar sendo um eterno adolescente em sua vida amorosa, largando tudo e se reinventando a cada nova paixão. Seu sétimo casamento, com a baiana Gessy, 26 anos mais nova, levou-o à Bahia e ao candomblé, e, por algum tempo, a casa na praia de Itapuã virou seu porto seguro quando não estava navegando pelos palcos.

Na verdade, Vinicius pouco desfrutou da idílica Itapuã. Em boa parte graças ao trabalho iniciado em 1970 com Toquinho, seu derradeiro parceiro fixo, a última década de vida do poeta foi de intensa atividade e muitas viagens. Violonista virtuoso e compositor de talento, Toquinho (Antonio Pecci Filho, 1946) virou o seu fiel escudeiro em discos e shows, dos circuitos universitários no interior do Brasil aos clubes, bares e teatros da Argentina, do Uruguai, de Portugal e da Itália. Em turnês na base de dois banquinhos e algumas doses de uísque, com o violão e a voz de Toquinho e uma cantora – Marilia Medalha ou Maria Creuza foram as mais frequentes –, Vinicius fez mais de 1.000 shows, até sua morte aos 67 anos.

O casamento musical com Toquinho rendeu mais de 100 canções, entre elas "A tonga da mironga do cabuletê", "Regra três", "Meu pai Oxalá", "Testamento" e "Tarde em Itapuã", que foi uma das primeiras, abrindo o álbum *Como dizia o poeta...*, de Toquinho, Vinicius e Marilia Medalha, lançado em 1971. Inicialmente, Vinicius escreveu a letra para ser musicada por Dorival Caymmi, mas, ajudado pela preguiça de Caymmi, o novato insistiu, trabalhou dois meses na composição e conquistou definitivamente o parceiro consagrado.

Gravada por Milton no álbum duplo que dividiu com Lô Borges (no centro), "Nada será como antes" é um de seus hits em dupla com Ronaldo Bastos (à direita)

Nada será como antes

Milton Nascimento e Ronaldo Bastos, 1971

Gravada em 1971 por Joyce, num compacto com o grupo A Tribo, formado por Nelson Ângelo, Naná Vasconcellos, Toninho Horta e Novelli, e logo depois por Elis Regina, "Nada será como antes" entrou no mundo das canções eternas no álbum duplo *Clube da Esquina*, em 1972. Ela é uma das muitas preciosidades lapidadas por Milton Nascimento com Ronaldo Bastos (1948), um carioca nascido em Niterói que integrou, ao lado de Fernando Brant e Márcio Borges, a fundamental troika de parceiros que o carioca mais mineiro do mundo alternou na sua carreira luminosa. Durante a década de 1970, no período mais intenso da dupla, Milton e Ronaldo também assinaram "Cais", "Fé cega, faca amolada", "Cravo e canela" e "Circo Marimbondo".

Com sua pegada pop, a música revelava o amor de Milton e seus parceiros pelos Beatles e companhia, que eram execrados pela MPB ortodoxa da época. A letra de Ronaldo refletia o turbulento período político que o Brasil atravessava, com a repressão aterrorizando a juventude e o perigo escondido em cada esquina, quando a vida na estrada passou a ser uma opção para tantos jovens insatisfeitos com o estado de coisas. A outra era cair na clandestinidade e na luta armada.

Além das possíveis esperanças da estrada, premonitoriamente, a canção também parecia anunciar que nada mais seria igual na música brasileira após o álbum duplo feito por Milton Nascimento & Lô Borges e quase duas dezenas de compositores, arranjadores e intérpretes, que entrou para a história como *Clube da Esquina*. Uma reunião informal de amigos e talentos que, sem planos, receitas ou restrições culturais, misturou samba, jazz, rock, bolero, abrindo uma riquíssima terceira via para a música brasileira, que seria uma das mais influentes nas décadas seguintes.

O sucesso de "Nada será como antes" mostrou sua perfeita sintonia com o momento, e logo a canção também começou a ser reconhecida fora do Brasil. Inicialmente entre os músicos de jazz, que adotaram a versão para o inglês de Rene Vincent, "Nothing Will Be As It Was", lançada no álbum *Milton* (1976), gravado em Los Angeles, ao lado de Wayne Shorter, Herbie Hancock, Hugo Fattoruso e Airto Moreira. E seguiu com o pé na estrada, nas vozes jazzísticas de Sarah Vaughan, Flora Purim e Tânia Maria.

Águas de março

Tom Jobim, 1972

Em 1972, após uma escalada de sucesso no Brasil e no exterior, que teve como pontos máximos a conquista, em 1964, do Grammy de Canção do Ano com "Garota de Ipanema" e, em 1967, um disco em dupla com Frank Sinatra, Tom Jobim não vivia uma boa fase. Estava com 45 anos, queixava-se que a bossa nova tinha acabado, que ninguém gravava mais suas músicas, que as rádios não as tocavam no Brasil. Mágoas que tentava afogar na bebida, como contou tempos depois: "Parecia que tudo havia acabado para mim, que eu não tinha mais nada a fazer. O médico disse que eu ia morrer de cirrose."

Foi nessa época, durante uma temporada no seu sítio Poço Fundo, na região serrana do Rio de Janeiro, área de difícil acesso, no meio da natureza selvagem, sem qualquer contato com a civilização, que nasceu "Águas de março". Tom vinha trabalhando em outra música, "Matita Perê", quando surgiram os primeiros acordes ao violão e os primeiros versos. Ficou tão entusiasmado que acordou a família para mostrar uma primeira versão da música, rabiscada num papel de pão. De volta ao Rio, completou-a numa tarde e saiu eufórico para o bar Antonio's, no Leblon, onde se reuniam muitos de seus amigos. Todos tiveram certeza de que estavam conhecendo um clássico instantâneo.

Gravada pelo próprio Tom, "Águas de março" foi lançada em maio de 1972 num compacto que apresentava do lado B "Agnus Sei", a música de estreia de João Bosco com letra de Aldir Blanc. As duas canções também inauguravam a série Disco de Bolso, vendida nas bancas de jornais, criada pelo semanário de humor e política *O Pasquim*, que fazia enorme sucesso na época.

Entre o otimismo e o pessimismo, com imagens ligadas à natureza e à trajetória da vida, os versos fragmentados de "Águas de março" têm sonoridade, ritmo e cadência notáveis, bem como perfeita integração com a melodia, garantindo a Tom Jobim um lugar entre os nossos maiores letristas, além do músico soberano que sempre foi.

Naquele mesmo ano, João Gilberto fez uma versão impecável, enquanto o compositor regravou-a, em Nova York, para o LP *Matita Perê* (1973). Em 1974, foi a vez do registro de maior sucesso, um dueto de Elis Regina e Tom, com arranjo de César Camargo Mariano e produção de Aloysio de Oliveira realizada em Los Angeles. "Águas de março" foi o destaque de *Elis & Tom*, o disco de comemoração de seus dez anos na gravadora Philips.

O próprio Tom tratou de verter a letra para o inglês. Já com pleno domínio da língua

Clássico instantâneo, "Águas de março" não para de ser regravado desde seu lançamento, em 1972. Mesmo que, dois anos depois, tenha recebido aquela que é considerada a versão imbatível, no igualmente clássico álbum *Elis & Tom*

de Shakespeare, e horrorizado por algumas versões precárias de outros sucessos da bossa nova, ele foi fiel às imagens originais e ainda se deu ao luxo de evitar palavras de raiz latina, privilegiando as anglo-saxônicas. Grandes intérpretes do pop e do jazz, como Al Jarreau, Ella Fitzgerald, Dionne Warwick e Frank Sinatra, também se banharam nas "Waters of March".

Na década de 1980, a música foi tema de uma grande campanha mundial da Coca-Cola, num arranjo pop de grande sucesso popular, tornando-se uma das canções mais tocadas do planeta. Aplaudido internacionalmente, em sua terra Tom foi vítima permanente das críticas e ressentimentos mais ferozes, acusado de mercenário e vendido aos americanos, que o levaram a concluir que "no Brasil, sucesso é ofensa pessoal".

Pérola negra

Luiz Melodia, 1972

Cartão de visita explosivo de um compositor até então inédito, "Pérola negra" foi apresentada ao mundo durante a temporada de *Fa-tal: Gal a todo vapor*, no Rio de Janeiro. O revolucionário show dirigido por Waly Salomão (ou Sailormoon, como assinava na época o poeta) estreou em novembro de 1971, no Teatro Tereza Raquel, e logo virou um disco duplo que, quatro décadas depois, continua como um dos melhores e mais influentes de Gal Costa. Entre canções de Caetano, Novos Baianos, Macalé & Waly, Roberto & Erasmo e sambas antológicos de Ismael Silva e Geraldo Pereira, chamou a atenção aquele blues pesado e pungente, digno de uma Billie Holiday, do desconhecido Luiz Melodia, que se transformou num dos hinos do verão louco de 1972. Um sucesso que viraria clássico para qualquer estação e revelaria um de nossos compositores mais originais.

Descoberto por Waly, o artista plástico Hélio Oiticica e o cineasta underground Ivan Cardoso em suas andanças pelas periferias cariocas, Melodia (1951) era um jovem negro do morro de São Carlos, junto ao bairro do Estácio, que cresceu ouvindo tanto o samba quanto a Jovem Guarda, tanto o forró quanto o rock, o blues e o soul. "Pérola negra" é fruto dessa formação sem preconceitos nem limites, e abriu as portas da indústria do disco para o extraordinário cantor e compositor inspirado, que, ainda em 1972, emplacou na voz de Maria Bethânia outra balada arrasadora, "Estácio, Holly Estácio".

A bela gravação de Gal foi um perfeito lançamento, mas "Pérola negra" ganhou sua versão definitiva como canção-título do disco de estreia de Melodia, em 1973. Em vez da roupagem roqueira de Gal (arranjo do tropicalista Lanny Gordin, mas com a guitarra nas mãos de Pepeu Gomes, que o substituiu no show), na versão do autor a música ganhou uma embalagem luxuosa *jazzy & bluesy* em clima de *big band*. Um tratamento mais lírico, centrado na voz rascante e aveludada de Melodia, no piano de Antonio Perna, no baixo de Rubão Sabino e no fraseado dos sopros. A letra é uma cantada meio desesperada do compositor tentando seduzir sua musa, que chama de "Pérola negra", inspirado pelo nome de guerra de um travesti do morro de São Carlos.

Na verdade, a pérola negra da música brasileira é Luiz Melodia.

Balada blues que apresentou ao mundo Luiz Melodia, "Pérola negra" serve também como um apelido para esse cantor e compositor carioca tão original

Nelson Cavaquinho canta com sua principal intérprete nos anos 1970, Beth Carvalho

Folhas secas

Nelson Cavaquinho e Guilherme de Brito, 1973

O que era para ser uma homenagem lírica e nostálgica à Mangueira gerou uma história de traições, brigas e discórdias.

"Folhas secas" é uma obra-prima da fase madura da dupla Nelson Cavaquinho e Guilherme de Brito, que, em 1973, começava a receber as merecidas "flores em vida" que cobrara em um samba. Suas músicas eram disputadas pelos grandes interprétes da época, e "Folhas secas" foi gravada simultaneamente por Elis Regina e Beth Carvalho.

"Folhas secas" estava reservada para Beth, que, cada vez mais enfronhada no mundo dos bambas do samba, tinha escolhido a música ainda inédita da dupla, e convidou César Camargo Mariano para fazer os arranjos do disco *Canto para um novo dia* (Tapecar), com a participação de Nelson Cavaquinho.

Os arranjos e o piano de César ficaram maravilhosos, o problema foi ele ser também o pianista, arranjador e namorado de Elis Regina. Encantado com o samba, César mostrou a gravação para o então diretor artístico da Polygram e produtor de Elis, Roberto Menescal, que também foi arrebatado pela canção e, atropelando a ética, decidiu oferecê-la a Elis para o disco que estava gravando.

Amiga de César, Beth ficou furiosa, com justa razão, e gravou a música correndo, ainda a tempo de sair junto com a gravação de Elis, que lhe deu uma interpretação quase minimalista com um jazz trio, enquanto Beth privilegiava uma versão mais exuberante com instrumentação tradicional de samba.

Ainda em 1973, o próprio Nelson gravou a sua versão, em seu terceiro álbum solo, *Nelson Cavaquinho* (EMI-Odeon). Com sua voz rouca, rascante e rachada, e o seu improvável violão rústico tocado com dois dedos, deu ainda mais emoção e autenticidade à história nostálgica de um velho bamba relembrando a mocidade e os poetas de sua Estação Primeira de Mangueira.

Ouro de tolo

Raul Seixas, 1973

Em plena ditadura militar, esta original balada pop, quase um pastiche irônico de Bob Dylan e Roberto Carlos, ousou questionar, pelo deboche e o sarcasmo, o "milagre econômico" e o Brasil Grande da ditadura. Narrada na primeira pessoa, em tom confessional e fazendo paralelos com a vida do cantor, a letra desfila as conquistas e as dúvidas de um sujeito "bem-sucedido", com salário no banco, carro do ano, apartamento em Ipanema, "depois de passar fome por dois anos na Cidade Maravilhosa". As realizações materiais e os sonhos de consumo não anestesiam a indignação do personagem com a miséria, as mentiras e as ilusões que o cercam. Miséria também moral e espiritual, de um "ser humano ridículo, limitado / que só usa dez por cento de sua cabeça animal".

"Ouro de tolo" foi instantâneo e retumbante sucesso popular, da noite para o dia transformou Raul num ídolo pop, graças ao humor sarcástico e contundente da letra, à melodia envolvente e ao arranjo que misturava elementos de balada romântica, folk, toada sertaneja e poesia de cordel.

"Eu é que não me sento / no trono de um apartamento / com a boca escancarada cheia de dentes / esperando a morte chegar", provocava Raul.

Na virada dos anos 1950 para os 1960, enquanto muitos de seus contemporâneos e futuros colegas na música se encantavam com a voz e o violão de João Gilberto, o jovem Raul Santos Seixas (1945-1989) estava ligado no rock elétrico de Elvis Presley e companhia e foi o sócio nº 1 do Elvis Presley Fã-Clube da Bahia.

A partir da segunda metade dos anos 1960, quando colegas de geração, como Caetano, Gil, Chico, Edu Lobo e Milton Nascimento, começavam a conquistar o Brasil consagrados nos grandes festivais de música, Raul ralava no underground com seus primeiros grupos de rock. Ainda em Salvador, à frente da banda Raulzito e Os Panteras, conseguiu um contrato com a gravadora Odeon, mas, lançado em 1968, o disco homônimo passou em branco.

Em 1971, voltou a investir em sua carreira, no disco coletivo *Sociedade da Grã-Ordem Kavernista apresenta Sessão das 10*, ao lado de Miriam Batucada, Sérgio Sampaio e Edy Star. Hoje cultuado e já anunciando algo do estilo que o consagraria em seguida, o projeto fracassou nas rádios e nas lojas.

Em 1972, Raul classificou duas músicas para a final brasileira do Festival Internacional da Canção, "Let me sing, let me sing", metade rock e metade baião, que ele mesmo cantou, com um look de Elvis Presley, e "Eu sou eu, Nicuri é o Diabo", com o grupo Os Lobos. Não ganhou, mas conquistou o público e a imprensa e ganhou um contrato da Philips/PolyGram, então a principal gravadora da MPB.

Assim como no álbum coletivo, essas duas canções apontavam para a fusão orgânica de pop e ritmos nordestinos que "Ouro de tolo" iria consolidar. Lançada num compacto em maio de 1973, abriu caminho para o revolucionário álbum *Krig-ha, Bandolo!*, que chegou ao mercado dois meses depois. Mais do que sinônimo de rock no Brasil, depois desse pulo de pantera, ele criou seu próprio e inconfundível estilo que até hoje ecoa no grito de guerra de seus fãs em shows de qualquer artista: Toca Raul!

Nordeste e rock se encontraram na obra do baiano Raul Seixas, que fundiu toada e folk à la Dylan na irônica "Ouro de tolo"

Surpreendente e iconoclasta, Raul tratou de se autodefinir em "Metamorfose ambulante", mais uma canção do LP que o consagrou

Metamorfose ambulante

Raul Seixas, 1973

Depois do retumbante sucesso popular de "Ouro de tolo", Raul Seixas se manteve em alta execução com "Metamorfose ambulante", balada existencialista que também foi destaque no seu primeiro álbum solo, *Krig-ha, Bandolo!*, que anunciava um inusitado encontro do rock brasileiro com o candomblé baiano em "Mosca na sopa" e, talvez já por influência de Paulo Coelho, seu parceiro em "Al Capone", com as filosofias orientais e o misticismo.

"Metaformose ambulante" é o autorretrato de um artista em eterna revolução interna. É uma carta de intenções anunciando os seus planos de voo livre, apostando nas contradições como uma das chaves para lidar com um mundo também sempre em movimento. Aos 29 anos, quando se tornou parceiro de Paulo Coelho, Raul foi apresentado por ele às drogas, a seitas esotéricas e também ao pensamento místico do satanista inglês Aleister Crowley.

Além de leituras esotéricas, Paulo Coelho contou em um documentário que "da maconha ao ácido e à cocaína, do chá de cogumelo ao mandrix", apresentou a Raul todas as drogas, que lhe abriram as portas da percepção para a revolução comportamental sonhada pela contracultura.

Num álbum com mais sucessos populares, como "Ouro de tolo", "Mosca na sopa", "Al Capone" e "Rockixe", foi "Metamorfose ambulante" a música que melhor expressou a natureza, a atitude e o estilo de Raul, com sua letra confessional, analítica e didática.

"Eu prefiro ser / Essa metamorfose ambulante / Do que ter aquela velha opinião formada sobre tudo."

Um sucesso espetacular que ultrapassava de longe as suas melhores expectativas, não tirava de Raul Seixas a consciência da efemeridade dos sentimentos, da vida e da glória:

"Se hoje eu sou estrela / amanhã já se apagou / se hoje eu lhe odeio / amanhã lhe tenho amor / eu sou um ator."

Raul morreu dormindo em 1989, aos 44 anos, e sempre dizia que não era um cantor nem um compositor, mas um ator fazendo esses papéis, que era só um magro abusado.

Lançada por Gil e depois regravada por Jorge Mautner em seu segundo LP solo, "Maracatu atômico" voltou, nos anos 1990, turbinada pelo mangue beat de Chico Science & Nação Zumbi

Maracatu atômico

Nélson Jacobina e Jorge Mautner, 1974

Filho de um judeu austríaco e uma católica iugoslava refugiados do nazismo, o poeta, romancista e filósofo Jorge Mautner nasceu no Rio do Janeiro, em 1941, onde viveu até os 7 anos. Até se mudar para São Paulo, com a mãe e seu segundo marido, um violinista, o garoto conviveu intensamente no mundo do candomblé levado por sua babá, que era uma ialorixá. Estudioso de Marx e Nietzsche, surgiu como um fenômeno ao ganhar, aos 21 anos, o maior prêmio literário brasileiro, o Jabuti, com seu romance de estreia, *Deus da chuva e da morte*. Comunista, com o golpe de 1964 foi preso e se exilou em Nova York, onde viveu a explosão do pop, e depois em Londres, onde se aproximou de Gilberto Gil e Caetano Veloso.

De volta ao Brasil, Mautner, que, em 1966, já tinha lançado um compacto simples com as músicas "Radioatividade" e "Não, não, não", encontrou no jovem violonista carioca Nélson Jacobina (1953-2012) o seu parceiro ideal. Em 1974, Gilberto Gil deu seu aval à qualidade da dupla gravando "Maracatu atômico", com grande execução nas rádios. Enquanto a música de Jacobina estilizava e modernizava os ritmos do maracatu pernambucano, a letra de Jorge fundia o atômico ao primitivo e o humor pop ao expressionismo alemão. Receita de aparente complexidade que resultou num grande sucesso popular.

"Atrás do arranha-céu tem o céu, tem o céu / E depois tem outro céu sem estrelas / Em cima do guarda-chuva, tem a chuva, tem a chuva / Que tem gotas tão lindas que até dá vontade de comê-las."

Vinte e dois anos depois, os pernambucanos Chico Science e Nação Zumbi, maior revelação da música brasileira nos anos 1990, produziram uma sensacional regravação da música de Jacobina e Mautner como um heavy maracatu futurista, com base rítmica ultrapesada envolvida pelos timbres rascantes das guitarras e dos beats eletrônicos. Reunindo o primitivo regional com as raízes africanas e os sons planetários, "Maracatu atômico" sintetizava o Mangue Beat e se tornou um clássico do pop brasileiro.

A lua e eu

Cassiano e Paulo Zdanowski, 1975

Uma balada-soul romântica, envolvente e totalmente fora dos padrões da época, de harmonia sofisticada e letra sofrida, existencialista como as dos sambas-canções de Lupicínio Rodrigues, "A lua e eu" estourou nas rádios brasileiras em 1976, impulsionada por sua inclusão na trilha sonora da novela *O grito*, da TV Globo.

"Quando olho no espelho / estou ficando velho e acabado." O canto pungente tocava o Brasil, e Cassiano tinha só 32 anos.

Era a faixa de encerramento de *Cuban soul: 18 kilates*, terceiro álbum solo de Cassiano, com oito composições do guitarrista e cantor em parceria com Paulo Zdanowski (1957). O disco virou uma referência básica como o perfeito encontro do soul e do R&B com as harmonias jazzísticas do samba-canção e da bossa nova, emplacando mais alguns sucessos nas rádios, como "Coleção" (regravada por Ivete Sangalo nos anos 1990), "Onda" e "Salve essa flor", envolvidos pelos polifônicos arranjos vocais do trio Os Diagonais.

"A lua e eu" não era só um sucesso do momento, com o tempo se tornou um clássico. Continua em qualquer programação de flashback, entrou no repertório de cantores da noite e tem sido regravada por outros intérpretes, incluindo uma sublime gravação da diva da MPB Nana Caymmi, em 1997.

Nascido em Campina Grande, Paraíba, em 16 de setembro de 1943, ainda criança Genival Cassiano dos Santos foi com a família para o Rio de Janeiro. Até poder fazer da música seu ganha-pão, dividiu o violão que começou a aprender na adolescência com o trabalho como ajudante de pedreiro. Apoiado pelo pai, também instrumentista, conseguiu seguir sua vocação e, com dois irmãos, formou o Bossa Trio em meados dos anos 1960. Com seu grupo seguinte, os Diagonais, participou da Turma da Pilantragem e gravou dois álbuns solo.

Um dos pais do soul brasileiro, Cassiano começou a ser reconhecido a partir do álbum de estreia de Tim Maia, em 1970, com o grande sucesso de "Primavera (Vai chuva)" e "Eu amo você", em parceria com Silvio Rochael, participando das gravações como guitarrista e backing vocal.

Paraibano radicado no Rio, Cassiano fez (com letra do carioca Paulo Zdanowski) uma envolvente fusão de balada soul e samba-canção

Olhos nos olhos

Chico Buarque, 1976

Além de todo o seu talento de melodista e letrista, Chico Buarque desenvolveu, ao longo de sua carreira, uma habilidade especial para fazer músicas não só sobre mulheres, mas pelas mulheres, falando por elas e dando-lhes uma voz, várias vozes.

Nenhum compositor, nem seu mestre Vinicius de Morais, mergulhou mais fundo nos mistérios da alma feminina e expressou melhor os desejos e os sentimentos das mulheres do que Chico. Personagens como a mulher submissa que ama e espera o marido boêmio em "Com açúcar, com afeto", encomendada por Nara Leão, em 1966, e a do devastador clássico "Atrás da porta" (em parceria com Francis Hime, 1971), com Elis Regina, que dá voz pungente a uma mulher desesperada de dor e abandono.

Pelos versos do compositor também falaram a guerreira "Bárbara", do musical *Calabar: o elogio da traição*, em seu romance tórrido com Ana de Amsterdam: "Vamos ceder enfim à tentação / Das nossas bocas cruas / E mergulhar no poço escuro de nós duas." A protagonista rodriguiana de "Mil perdões", que diz com sarcasmo ao homem a seus pés: "Te perdoo por contares minhas horas / Nas minhas demoras por aí / Te perdoo / Te perdoo porque choras / Quando eu choro de rir / Te perdoo por te trair." A perigosa e desafiadora mulher de "Folhetim": "Se acaso me quiseres / Sou dessas mulheres que só dizem sim / Por uma coisa à toa, uma noitada boa / Um cinema, um botequim." Ou ainda a trágica Medeia de um subúrbio carioca devastada pela traição e pela humilhação na dilacerante "Gota d'água": "Deixa em paz meu coração / Ele é um pote até aqui de mágoa / E qualquer desatenção, faça não / Pode ser a gota d'água."

São muitas as mulheres criadas por ele. Mas, além desse conhecimento dos desvãos da alma feminina, Chico toca onde os homens mais sentem o que as mulheres lhes dizem, onde mais doem suas palavras e lembranças, onde mais os ferem seus ódios e rancores, suas mentiras e traições. Nos diversos personagens que ele criou, as mulheres se sentem representadas – os homens sofrem com as mulheres de Chico.

Com tantas canções sobre o melhor e o pior do amor do ponto de vista feminino, "Olhos nos olhos", de 1976, é a que mais se destaca. Em grande parte, devido à interpretação de Maria Bethânia, visceralmente vivendo o melodrama da mulher abandonada que deu a volta por cima e mudou de vida depois que "tantos homens me amaram / bem mais e melhor que você". Desafiadora, a personagem comemora:

"Olhos nos olhos, quero ver o que você diz / Quero ver como suporta me ver tão feliz."

Um soco no coração.

Entre os talentos de Chico Buarque está o de dar voz às mulheres, como Maria Bethânia provou ao gravar "Olhos nos olhos", em 1976

Aos 67 anos, quando muitos caminham para a aposentadoria, Cartola mostrou "As rosas não falam", gravada em 1976

As rosas não falam

Cartola, 1976

Com fluidez, lirismo sintético e uso perfeito do idioma culto, a letra deste samba está à altura de qualquer mestre da poesia parnasiana. Sim, o estilo nascido no fim do século XIX na França, e que teve tantos adeptos no Brasil até a revolução estética da Semana de Arte Moderna, em 1922, estava entre as referências de Cartola, o genial sambista que teve direito a uma segunda grande chance na vida.

"As rosas não falam", um samba lento em clima de choro, lançado em disco por Beth Carvalho, em julho de 1976 e logo em seguida também gravado pelo compositor, é fruto dessa volta por cima do sambista da Mangueira.

Depois de um início promissor entre os bambas do samba nos anos 1930 e 1940, Cartola sumiu por mais de uma década, foi dado como morto. Até 1956, quando o jornalista Sérgio Porto encontrou-o lavando carros numa rua de Botafogo e levou suas músicas a cantores e produtores, trazendo-o de volta ao sucesso com a gravação de Nara Leão de "O sol nascerá".

No início dos anos 1960, comandou com a mulher Zica o restaurante e casa de samba Zicartola, na rua da Carioca, que se tornou um templo do melhor samba do Rio, para cair mais uma vez no esquecimento. Mas voltou na década seguinte com um baú cheio de novas e surpreendentes músicas, com um grau de acabamento e sofisticação ainda maior do que seus primeiros sucessos. Gravado por Paulinho da Viola, Beth Carvalho e Clara Nunes, Cartola também gravou na independente Marcus Pereira (1974) seu primoroso primeiro álbum solo, com pérolas como a confessional "Tive sim" e a canção de despedida "Acontece".

Dois anos depois, gravou um segundo disco em que, além de "As rosas não falam", se destacam "O mundo é um moinho", "Sala de recepção", "Peito vazio", "Cordas de aço" e "Ensaboa", regravada com sucesso por Marisa Monte em clima de afropop em 1990.

"O mundo é um moinho" foi outro clássico até então inédito apresentado por Cartola em seu segundo álbum solo

O mundo é um moinho

Cartola, 1976

Clássico dos clássicos do mestre da Mangueira, "O mundo é um moinho" veio ao mundo como a faixa de abertura de seu segundo álbum solo, *Cartola* (Discos Marcus Pereira), em 1976. Então aos 67 anos, ele tinha escrito esse samba-choro poucos meses antes de voltar ao estúdio. Numa idade em que muita gente já caminhava para a aposentadoria, o compositor mantinha acesa a chama da criação e, nesse mesmo álbum, também lançou duas outras preciosidades até então inéditas, "Minha" e "As rosas não falam".

Um ano após ser lançado pelo compositor, "O mundo é um moinho" ganharia outra versão memorável, de Beth Carvalho, no disco *Nos botequins da vida* (RCA). A partir daí, muitas gravações se seguiram, até chegar ao roqueiro Cazuza, reafirmando a abrangência da obra de Cartola. O encadeamento perfeito da melodia e dos versos mostra um fino artesão da canção, garantindo lugar para "O mundo é um moinho" em qualquer antologia da música brasileira.

Cartola sempre negou que a letra tão íntima e emocionada fosse autobiográfica ou confessional, como tantas de suas canções. Conta que teria se inspirado em uma desilusão amorosa, mas de sua enteada, filha de Dona Zica, para criar a letra. O tom é coloquial, como uma conversa de alguém bastante sofrido e experiente alertando sua jovem interlocutora sobre as mesquinharias do mundo, que, como um moinho, pode triturar os seus sonhos e reduzir suas ilusões a pó.

Uma curiosidade na gravação original de Cartola é a participação do então iniciante Guinga. É dele o violão na marcante introdução, ao lado da flauta de Altamiro Carrilho. Antes de se consagrar como compositor, o então também dentista se alternava entre o consultório e os palcos e os estúdios. Não é absurdo imaginar que a experiência com o mangueirense influiu na opção de Guinga pela música.

Cearense e roqueiro,
Belchior mostrou
suas credenciais
com a virulenta
"Como nossos pais"

Como nossos pais

Belchior, 1976

Um dos grandes talentos da safra de artistas nordestinos que chegou ao Rio de Janeiro no início dos anos 1970 (Fagner, Amelinha, Zé Ramalho, Alceu Valença, Ednardo), Belchior fazia música desde criança em Sobral, onde nasceu, em 26 de outubro de 1946, como Antonio Carlos Gomes Belchior Fontenele Fernandes. Em 1971 veio para Rio e venceu o IV Festival Universitário da MPB com "Na hora do almoço", agradando ao público e à crítica.

Gravada por Elis Regina em 1972, a sua lírica e nostálgica "Mucuripe" (em parceria com Fagner) impressionou pela sofisticada construção musical e pelas imagens poéticas de velas singrando o mar de Fortaleza e as esperanças de "um rapaz novo encantado / com vinte anos de amor".

"Calça nova de riscado / paletó de linho branco / que até o mês passado / lá no campo ainda era flor."

Em 1975, ganhou mais um prêmio: uma gravação impecável de Roberto Carlos.

"Aquela estrela é dela / vida vento vela leva-me daqui."

Mas o maior prêmio recebido por Belchior veio em dose dupla, novamente na voz de Elis Regina, que incluiu os rocks "Como nossos pais" e "Velha roupa colorida" no show e no disco *Falso brilhante*, no fim de 1975. O show foi um espetacular sucesso, lotando o Teatro Bandeirantes mais de um ano e só parando pela nova gravidez de Elis. O álbum, gravado em 1976 (Polygram), tinha como faixa de abertura "Como nossos pais", seguida de "Velha roupa colorida".

Estrela e militante da MPB, ninguém esperava ouvir Elis cantando um rock – e melhor do que qualquer um já havia feito no Brasil. Com a interpretação visceral e rasgada de Elis, "Como nossos pais" foi um grande sucesso popular, criticando o atraso da nova geração e provocando a anterior, de Gil e Caetano.

"Hoje eu sei que quem me deu a ideia / de uma nova consciência e juventude / está em casa guardado por Deus / contando o vil metal."

Pegou pesado. Com a polêmica, em gravações seguintes, de Elis e de outros, o último verso foi amenizado para "contando os seus metais".

Blues, folk, Dylan, Beatles, cordel, poesia concreta, canções de grande apelo pop e interpretações vigorosas de letras expressivas e contundentes, com rimas ricas e sonoras, levaram Belchior a grandes sucessos como "A palo seco", "Apenas um rapaz latino-americano", "Paralelas" e "Medo de avião".

Em 2006, aos 60 anos, abandonou a carreira e sumiu no mundo, só sendo encontrado dez anos depois em uma fazenda no interior do Uruguai.

Parte do disco de estreia de Guilherme Arantes, em 1976, essa balada melancólica tinha sido escrita seis anos antes, pelo então adolescente paulistano

Meu mundo e nada mais

Guilherme Arantes, 1976

Era um garoto paulistano que amava bossa nova, Beatles, Jovem Guarda, Tropicália, Clube da Esquina, rock progressivo, música clássica... A partir desse cardápio musical diversificado, criou seu estilo, seu mundo e tudo o mais.

Nascido em São Paulo (1953) e criado em uma família de classe média alta, Guilherme despertou para a música estimulado pelo pai, um médico-cirurgião que também tocava violão e atualizava periodicamente a discoteca de casa. Aos 6 anos, ganhou seu primeiro cavaquinho, depois um bandolim e logo começou a estudar piano clássico.

Com prodigiosa musicalidade e precocidade, ele nunca deu muita bola para o estudo formal e sempre teve a composição como sua meta, criando ao longo do tempo grandes sucessos como "Deixa chover", "Aprendendo a jogar" (gravada por Elis Regina), "Coisas do Brasil (com Nelson Motta), "Planeta água", "Um dia, um adeus", o hit infantil "Lindo balão azul", "Pedacinhos" e o mega-hit "Cheia de charme".

O caminho foi aberto com a balada "Meu mundo e nada mais", incluída na trilha sonora da novela *Anjo mau*, da TV Globo (1976), que apresentou ao Brasil o cantor, compositor e pianista de 23 anos. O enorme sucesso da música abriu caminho para seu primeiro álbum solo, *Guilherme Arantes* (Som Livre), com outras nove composições, diferentes de tudo o que se fazia na época, tanto na MPB quanto no pop-rock brasileiro, marcadas por seu piano percussivo, suas melodias fluentes e suas harmonias sofisticadas: puro pop.

Mas o sucesso não era esperado: seria improvável para uma balada sombria e melancólica, com um personagem imerso em crise existencial só se sentindo seguro no escuro de seu quarto, "à meia-noite, à meia-luz", vendo seu mundo mudar inexoravelmente, tentando esquecer o que perdeu, sonhando e fazendo música.

"Daria tudo por um modo de esquecer / Daria tudo por meu mundo e nada mais." E pensar que "Meu mundo e nada mais" tinha sido composta sete anos antes de seu lançamento, em 1969, por um adolescente de 16 anos.

Lançada por Clara Nunes em 1977, um ano depois "Coração leviano" foi gravada por Paulinho

Coração leviano

Paulinho da Viola, 1977

Lançado com sucesso por Clara Nunes, "Coração leviano" foi um dos destaques do álbum *As forças da natureza*, em 1977. Na voz da Guerreira, acompanhada por um coro de pastoras, o samba parecia ambientado numa animada roda na quadra de uma escola, em um espírito festivo que funcionava como contraponto à desilusão amorosa que o samba cantava. Um ano depois, a gravação do autor, em seu décimo disco solo, *Paulinho da Viola*, era mais camerística: apenas ele e seu cavaquinho, o violão do pai, Cesar Farias, o piano de Cristóvão Bastos, o clarinete de Copinha e uma discreta seção rítmica.

Grande sucesso nas rádios, nos palcos e nas rodas de samba, "Coração leviano" tem o toque sofisticado de um estilista da composição, com refinada carpintaria musical e poética, em perfeito encaixe. Um samba melódico e melancólico sobre uma dolorosa separação sem adeus, tramada em segredo pela leviandade do coração da ex-amada.

No fim de sua década de ouro, em que mais compôs e gravou, Paulinho tinha vivido entre extremos de desilusões dolorosas e encontros inspiradores, mas "Coração leviano" não parece ser confessional ou autobiográfica: em 1978, ele se casou com Lila Rabello (irmã do violonista Raphael Rabello), com quem veio a ter quatro filhos. A decepção era com a Portela: um ano antes, por discordar dos critérios nas disputas dos enredos e dos rumos do carnaval, ele se desligou e ficou mais de três décadas longe da quadra e dos desfiles da escola, foi como um rio de mágoa passando em sua vida.

Duas décadas depois de Clara e Paulinho, "Coração leviano" voltou a bater com emoção na voz de Djavan, no álbum *Malásia* (1996). Em andamento mais ralentado, era um tributo a uma de suas referências no samba, com discretos sabores da bossa nova que também se expressa na obra de Paulinho.

Romaria

Renato Teixeira, 1977

Nos anos 1970, a música sertaneja vivia em um mundo à parte, era chamada de caipira e restrita ao interior de São Paulo, Minas e Goiás. Longe demais, portanto, do eixo Rio-São Paulo, no qual estavam os principais estúdios e emissoras de rádio e TV e vivia a constelação de astros da canção. Caso de Elis Regina, em 1977, ao lançar essa toada no álbum *Elis*.

Paulista de Taubaté, com fortes raízes sertanejas mas formado ao som da bossa nova e da MPB, Renato Teixeira de Oliveira (1945) ganhava a vida como compositor de jingles em São Paulo até conhecer o casal Elis Regina e César Camargo Mariano por intermédio de seu irmão, Roberto de Oliveira, na época produtor musical de Elis. Os dois perceberam de imediato o potencial daquela poderosa canção-prece, ao mesmo tempo de construção refinada e popular, com cheiro de terra e de mato, cantada por um sertanejo em sua jornada de fé a caminho de Aparecida do Norte:

"Sou caipira pirapora, Nossa / Senhora de Aparecida / ilumina a mina escura e funda o trem da minha vida."

Incluída num disco repleto de material inédito de pesos-pesados da MPB como Milton Nascimento e Fernando Brant, João Bosco e Aldir Blanc, Ivan Lins e Vitor Martins, "Romaria" roubou a missa. Tocou maciçamente em todo o Brasil, antecipando em quase duas décadas a febre sertaneja que se instalou nos anos 1990 e continua imperando no Brasil do século XXI.

O sucesso também serviu de cartão de visita para Renato Teixeira e, graças a "Romaria", ele pôde trocar a publicidade pela dedicação de corpo e alma à música, tornando-se uma das maiores referências do melhor sertanejo, ao lado de Almir Sater, com quem realizou memoráveis discos e shows com um padrão de qualidade muito acima e além da vulgaridade do sertanejo-pop que veio depois.

Com "Romaria", lançada por Elis, Renato Teixeira (com o sanfoneiro Dominguinhos, à direita) abriu lugar para a música caipira na MPB

Dancin' days

Ruban Barra e Nelson Motta, 1978

Em agosto de 1976, quebrado pelo fracasso comercial do festival de rock Som, Sol e Surf, em Saquarema, o jornalista, letrista e produtor Nelson Motta (1944) teve a chance de abrir a discoteca Frenetic Dancin' Days no recém-inaugurado Shopping da Gávea, no Rio de Janeiro.

A Dancin' Days só poderia durar quatro meses porque ocuparia um espaço já vendido para o futuro Teatro dos Quatro, emprestado a Nelson de graça pela administradora do shopping ainda desconhecido para tentar promovê-lo. Mas se tornaria uma lenda das noites cariocas, como um ponto de alegria e dança, e o símbolo máximo da era disco no Brasil. Foi também ali que nasceu o sexteto Frenéticas (Sandra Pêra, Dudu Morais, Lidoka, Leiloca, Edyr de Castro e Regina Chaves), que se tornou um espetacular sucesso popular a partir de 1977.

Inicialmente, elas seriam apenas garçonetes. Mas as garotas pediram para, no fim da noite, subir ao palco como Frenéticas e cantar três ou quatro músicas, escolhidas por Nelson e ensaiadas por Roberto de Carvalho. Era tudo improvisado e despretensioso, mas, logo na estreia, o sucesso foi tão grande que elas tiveram que aumentar o repertório a cada noite e se tornaram a grande atração da casa, que lotava de domingo a domingo para vê-las cantar.

Quatro meses triunfais depois, a Dancin' Days virava história, mas as Frenéticas, contratadas pela Warner e produzidas por Liminha, estouravam vários hits dançantes nas rádios e televisões. Da noite para o dia, viraram as grandes estrelas da disco music brasileira, não como imitações da disco americana, mas com elementos de rock and roll, escola de samba e teatro de revista, além de uma linguagem irreverente e provocativa.

Pouco depois, Nelson foi chamado à TV Globo pelo autor Gilberto Braga e pelo diretor Daniel Filho, que estavam começando a produção de uma novela ambientada na era disco carioca. Para eles, só poderia se chamar *Dancin' Days*, então a TV Globo negociou os direitos da marca com Nelson, e Daniel lhe encomendou o tema de abertura.

Feita em parceria com Ruban Barra, pianista da banda das Frenéticas, em pouco mais de uma hora, no clima de excessos da era disco, como se estivessem doidões no Dancin' Days, a música tinha uma batida superdançante e um refrão irresistível, era um chamado para a festa, popularizando expressões como "caia na gandaia" e "livre, leve e solta".

Nascia um hino de alegria que, ao longo dos anos e de gerações, continuaria lotando as pistas de todas as festas.

Parceria do tecladista Ruban Barra com Nelson Motta, "Dancin' days" teve nas Frenéticas as intérpretes perfeitas

Terceira canção que
Caetano fez para
Roberto Carlos,
"Força estranha"
também ganhou
versões definitivas
de Gal Costa e do
próprio compositor

Força estranha

Caetano Veloso, 1978

Depois da politica “Como dois e dois” e da sentimental “Muito romântico”, a autorreferente e mística “Força estranha” é a última da trilogia de canções que Caetano Veloso dedicou a Roberto Carlos e foi lançada no seu álbum de 1978.

Os dois se aproximaram depois da visita que Roberto fez a Caetano em seu exílio londrino, em 1970, e, de volta ao Brasil, escreveu com Erasmo a balada “Nos caracóis dos teus cabelos” como uma homenagem cifrada a Caetano, que tinha sua prisão e seu nome proibidos nos jornais. Os cabelos encaracolados que driblaram a Censura, como foi revelado tempos depois, não eram de uma moça, mas do seu amigo exilado.

A inspiração para “Força estranha” veio depois de um encontro casual dos dois nos corredores da TV Globo. Após os abraços e elogios recíprocos sobre a boa forma de ambos, Roberto, então com 37 anos, comentou: “É, bicho, artista nunca envelhece.” Caetano ficou com a frase na cabeça e a partir dela, pensando na voz e no estilo de Roberto, escreveu “Força estranha” como um tributo à sua arte, à vida de grandes artistas e a estranha força que os move.

“Eu vi muitos cabelos brancos na fronte do artista / o tempo não para e, no entanto, ele nunca envelhece.”

É uma bela balada com um tempero de blues, com um refrão poderoso, feita sob medida para o artista cantar a força de sua própria voz, envolvida pelo misticismo tão caro a Roberto. Na sua gravação, Roberto acrescentou “no ar” depois de “por isso essa força estranha” e Caetano adorou, incorporando as duas notas-palavras à música.

Mesmo tendo sido um dos maiores sucessos daquele disco, ao lado da balada de motel “Café da manhã”, já no ano seguinte Gal Costa gravou uma nova versão, que foi incluída na trilha da novela *Os gigantes* e também no álbum *Gal Tropical*, e repetiu o sucesso nas rádios. A música tambem parecia ter sido feita para ela.

“Por isso uma força me leva a cantar / Por isso essa força estranha / Por isso é que eu canto, não posso parar / Por isso essa voz tamanha.”

Durante a década de 1970, já consolidado como o cantor mais popular do Brasil, Roberto amadurecia e avançava além da Jovem Guarda, vivendo esse breve flerte com a MPB, quando gravou canções de Djavan (a bela e estranha “A ilha”, em 1980) e de Fagner & Belchior (“Mucuripe”, em 1975).

Cidade adotiva dos
tropicalistas baianos entre
1967 e 1968, São Paulo foi
homenageada por Caetano
nesse samba-choro

Sampa

Caetano Veloso, 1978

Lançado em 1978, em *Muito (Dentro da estrela azulada)*, um dos melhores álbuns de Caetano, este samba-canção virou uma espécie de hino informal de São Paulo, onde Caetano e Gil moraram na época dos grandes festivais e do Tropicalismo até dezembro de 1968, quando, após a decretação do AI-5, foram presos e obrigados a sair do Brasil.

Apesar da separação traumática, São Paulo e sua cultura cosmopolita continuaram para sempre na cabeça e no coração do baiano de Santo Amaro da Purificação, vindo de Salvador, "outro sonho feliz de cidade", que aprende depressa a chamar São Paulo de realidade.

Citando uma frase melódica e poética do clássico "Ronda", de Paulo Vanzolini – "que só quando cruza a Ipiranga e a avenida São João" –, Caetano desenvolveu um mosaico de referências e memórias sobre o melhor e o pior de São Paulo. Do choque inicial com a dureza e concretude da cidade a seu progressivo encantamento com a força e a vitalidade da maior metrópole brasileira, com "a força da grana que ergue e destrói coisas belas".

Com uma gravação e um arranjo com sonoridade que remete aos regionais de samba e choro paulistas, "Sampa" é o avesso do avesso do saudosismo e da nostalgia, é um tributo emocionado à cidade contraditória que aprenderam a amar.

Caetano fez uma espécie de *list song*, mas com referências e associações cifradas, que podem ter passado em branco para muitos ouvintes. Alguns paulistanos são citados explicitamente – Rita Lee, como "a mais completa tradução" de São Paulo, os Mutantes e até os Novos Baianos, que, na época, tinham se mudado para a terra da garoa –, mas há também muitas homenagens percebidas apenas por *connaisseurs*. Principalmente a escritores de alguma forma ligados à Tropicália, como os irmãos Haroldo e Augusto de Campos ("... vejo surgir teus poetas de campos"); José Agrippino de Paula (autor do livro *Pan-América*); o também compositor Jorge Mautner (o verso "teus deuses da chuva" é uma referência ao seu livro de estreia, em 1962, *Deus da chuva e da morte*); e ainda o diretor José Celso Martinez (em "tuas oficinas de florestas", referência ao Teatro Oficina).

Tanta sofisticação não impediu que "Sampa" virasse um sucesso imediato nas rádios, e, desde então, mais um item obrigatório em qualquer lista de clássicos de Caetano.

A partir de lembranças de sua temporada na prisão, entre 1968 e 1969, Caetano fez uma ode à liberdade

Terra

Caetano Veloso, 1978

Em 1978, depois de 14 anos de ditadura militar, o presidente Ernesto Geisel prosseguia com uma polêmica abertura política por ele chamada de "lenta, gradual e segura". Mesmo enfrentando uma facção linha-dura do Exército que queria tomar o poder, esse processo levaria ao desmanche da rede subterrânea de tortura, com a demissão do general responsável pela morte do jornalista Vladimir Herzog, e também a um início de abrandamento da Censura prévia.

"Terra" foi a canção de abertura do extraordinário LP *Muito (Dentro da estrela azulada)*, que Caetano lançou naquele ano, com clássicos como "Sampa", "Muito romântico" e "São João Xangô menino". Sua letra dizia o que até então não podia ser dito: "Quando eu me encontrava preso / na cela de uma cadeia", referência à sua prisão junto com Gilberto Gil, em dezembro de 1968, que os levou ao exílio em Londres.

Foi em 1969, quando estava preso no Rio, que Caetano viu uma foto da Terra no espaço feita por um satélite artificial. Pela primeira vez o planeta em todo o seu esplendor azul e feminino, ao "não vê-la nua mas sim coberta de nuvens". Do confinamento abjeto somos transportados ao amor à liberdade e à grandiosidade cósmica do planeta em alguns versos.

Depois, Caetano brinca com a interação de signos astrológicos com planetas no espaço, apaixonado "por uma menina terra, signo de elemento terra", se dizendo "um leão de fogo / que sem ti me consumiria a mim mesmo eternamente".

A canção, que se desenvolve em clima denso, com frases musicais sinuosas, não foi um sucesso popular, mas provocou profunda emoção em crítica e público, marcando um tempo de reinício e de esperanças.

Do carnaval de 1978, esse samba-enredo foi muito além do desfile da União da Ilha, regravado quatro anos depois por Simone

O amanhã

João Sérgio e Didi, 1978

Na época em que este arrebatador samba-enredo foi apresentado na avenida, no carnaval de 1978, pela União da Ilha do Governador, o gênero já vivia sob o ataque de críticos, que reclamavam da descaracterização, do ritmo acelerado e da vulgaridade dos refrões levanta-povo.

"O amanhã", porém, mostrou que o samba-enredo tinha mudado, mas atingia um de seus pontos mais altos. Não só nos desfiles e muito além daquele carnaval. Puxado na avenida por Aroldo Melodia e também gravado por Elizeth Cardoso, estourou no Brasil inteiro quatro anos depois. Regravado por Simone no álbum *Delírio e delícias*, ganhou as rádios, virando um dos maiores sucessos da cantora baiana.

Fundada em 1953, a União da Ilha ascendeu ao grupo especial em 1975 e passou a competir com as tradicionais Portela, Mangueira, Salgueiro e Império Serrano. Seu ponto forte eram os enredos inusitados e os sambas empolgantes, criados por um advogado e procurador federal, Gustavo Adolfo de Carvalho Baeta Neves, que se escondia sob o pseudônimo de Didi por pressão da família tradicional, contrária ao seu envolvimento com o mundo do samba. Gustavo chegou a abrir mão da autoria de alguns sambas, que foram atribuídos a outros compositores, como "O amanhã", assinado apenas pelo parceiro João Sérgio.

Mas, como contam os escritores Luiz Antonio Simas e Alberto Mussa, sobrinho do compositor, no livro *Samba de enredo: história e arte* (2010), "O amanhã" é um dos clássicos de Didi, incluindo a riqueza melódica e a cadência das palavras que marcavam seu estilo.

Até morrer, em 1987, aos 52 anos, de cirrose, o sambista-advogado venceu 24 disputas em escolas, sendo 16 na União da Ilha, quatro no Salgueiro e quatro no Bloco do Boi da Freguesia. Em 1991 foi homenageado pela União da Ilha com o enredo *De bar em bar, Didi um poeta.*

Alem de "O amanhã", Didi é autor de outro grande sucesso que prosseguiu muito além da avenida, "É hoje" (parceria com Mestrinho), popularizada por Caetano Veloso e Fernanda Abreu, um clássico que poderia se alternar com "O amanhã" nesta lista.

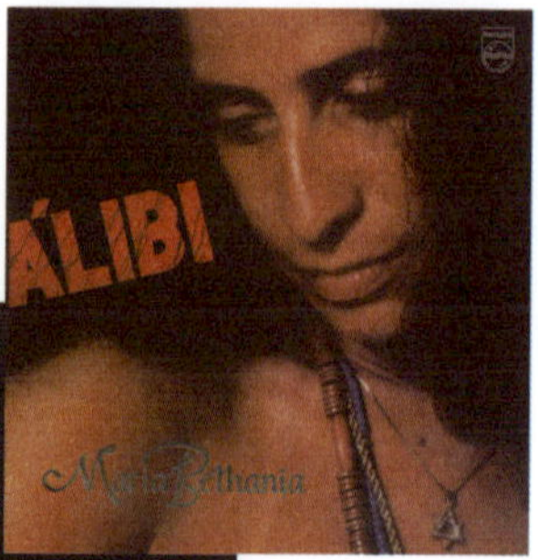

Gonzaguinha explodiu de vez nas paradas de sucesso graças a esse clássico, lançado por Bethânia no álbum *Álibi*

Explode coração (Não dá mais pra segurar)

Gonzaguinha, 1979

Ao estrear, no fim dos anos 1960, Luiz Gonzaga Júnior tinha toda a pinta de *bad boy*. Magrelo, barbado e durão, ele era um dos pontas de lança do carrancudo até no nome MAU (Movimento Artístico Universitário), criado em 1969 e que reuniu outros jovens compositores também em início de carreira, como Ivan Lins, Aldir Blanc, César Costa Filho e Paulo Emílio.

Mas, quando morreu em 1991, aos 45 anos, num desastre de automóvel no interior do Paraná, ele já tinha mostrado seu lado mais doce e amoroso, o perfil já era outro, justificando o carinhoso apelido de Gonzaguinha, consagrado por duas dezenas de sucessos populares lançados a partir do fim dos anos 1970 por intérpretes como Maria Bethânia, Elis Regina, Nana Caymmi, Marlene, Simone, Zizi Possi, Frenéticas, Fagner e Joanna. Entre eles e um dos maiores, "Explode coração (Não dá mais pra segurar)", lançado em 1978 por Maria Bethânia com um estrondoso sucesso popular, tornou-se ao longo dos anos um dos grandes clássicos românticos brasileiros.

Gonzaguinha nasceu no Rio de Janeiro, em 22 de setembro de 1945, e mostrou talento cedo, compondo suas primeiras músicas na adolescência. Em 1967, teve duas canções gravadas pelo pai, Luiz Gonzaga, "Festa" e "From US of Piauí", e um ano depois o então estudante de Economia se classificou entre os finalistas no I Festival Universitário de Música Popular, com "Pobreza por pobreza", um tema de denúncia social, que marcaria seu estilo inicial.

Em 1969, na segunda edição do mesmo festival, foi o vencedor com a complexa "O trem", com harmonias audaciosas e letra contundente e sarcástica. Em plena era de chumbo da ditadura militar, o protesto era a sua vertente principal e o tornou um alvo preferencial da Censura. Para conseguir gravar seus dois primeiros álbuns solo, em 1973 e 1974, teve que submeter aos censores dezenas de canções, a maioria vetadas, até conseguir doze para cada disco. Na época chegou a ser chamado de cantor-rancor, pelo tom sempre revoltado de suas músicas.

Seu quarto álbum, em 1976, já anunciava no título uma nova fase: *Começaria tudo outra vez*. Os boleros românticos que ouviu na infância começavam a ganhar espaço em seus discos junto a canções melodiosas de alta voltagem emocional sobre as graças e desgraças do amor, que passaram a ser disputadas pelos grandes intérpretes da MPB.

Como a audaciosa "Grito de alerta", de espírito gay, gravada por Agnaldo Timóteo no LP *A galeria do amor*, no caso, a Alasca, tradicional ponto gay de Copacabana:

"Na galeria do amor é assim / Muita gente à procura de gente / A galeria do amor é assim / Um lugar de emoções diferentes."

"Explode coração" foi lançada por Maria Bethânia no álbum *Álibi*, o primeiro de uma cantora brasileira a ultrapassar a marca de um milhão de cópias vendidas, explodindo corações em todo o país. Não dava para segurar mesmo.

Choro instrumental de Jacob do Bandolim, "Noites cariocas" voltou com certeiras letra de Hermínio e interpretação de Gal

Noites cariocas

Jacob do Bandolim e Hermínio Bello de Carvalho, 1979

Lançado como um choro instrumental em disco do próprio Jacob do Bandolim em 1957, "Noites cariocas" ganhou os versos de Hermínio Bello de Carvalho em 1978, nove anos após a morte do bandolinista, a pedido de Gal Costa. Apesar da diferença de duas décadas, e de alguma polêmica levantada pelos que não admitem parcerias póstumas e os que sustentam que os versos desvirtuam a essência do gênero, resultou em um casamento perfeito entre música e letra.

A canção foi lançada por Gal Costa no show *Gal tropical*, que estreou em janeiro de 1979, em seguida, também foi incluída em seu álbum de grande sucesso. Nessa primeira gravação a música tinha um subtítulo, "Minhas noites sem sono", que acabou sendo esquecido por Hermínio. "Noites cariocas" já dizia tudo.

Como muitos choros cantados, "Noites cariocas" exige grande precisão vocal; é música para grandes intérpretes, especialistas em driblar os desvios e as curvas criados pelos muitos acidentes melódicos e rítmicos de um gênero basicamente instrumental, às vezes em andamentos vertiginosos. No auge de sua técnica, Gal deu show, conquistando nas rádios um grande sucesso para um gênero que, na época, vivia uma renascença. Em seguida, a parceria póstuma de Jacob e Hermínio seria gravada por Ademilde Fonseca, a rainha do chorinho, e por Áurea Martins.

Um dos grandes mestres do choro, Jacob do Bandolim (Jacob Pick Bittencourt, 1918--1969) se interessou pela música no início da adolescência, graças a um vizinho violinista. Autodidata, do violino passou para o bandolim, instrumento que virou seu sobrenome artístico. Rigoroso em suas opções estéticas, para não ceder às pressões comerciais, Jacob sempre se dividiu entre a música e outras atividades profissionais. Ao morrer, em 1969, mesmo já consagrado como instrumentista e compositor, ainda trabalhava como escrivão de polícia.

O poeta, escritor, compositor e produtor cultural carioca Hermínio Bello de Carvalho (1935) foi um grande amigo e profundo conhecedor da obra de Jacob, e se tornou um especialista na difícil arte de criar letras sobre composições instrumentais. Do mesmo Jacob ele também letrou "Benzinho" e "Doce de coco", assim como Vinicius de Moraes já havia feito uma letra para o choro "Odeon", de Ernesto Nazareth, a pedido de Nara Leão, e o poeta Ferreira Gullar criou uma soberba letra à altura de "O trenzinho do caipira", de Villa-Lobos, gravada por Edu Lobo, legitimando a prática.

A dupla Bosco e Blanc resumiu o contraste de sufoco e esperança vivido pelo Brasil da época e teve em Elis Regina a intérprete perfeita

O bêbado e a equilibrista

João Bosco e Aldir Blanc, 1979

Em 1979, a "abertura lenta, gradual e segura", iniciada três anos antes no governo Geisel, prosseguia a passos de tartaruga, conduzida pelo general-presidente João Figueiredo, que, em 28 de agosto, depois de grandes mobilizações populares que se alastraram pelo Brasil, finalmente assinou a Lei da Anistia. Mas a canção que acabou se tornando o seu hino se revelava premonitória, lançada dois meses antes por Elis Regina, no álbum *Essa mulher*.

"O bêbado e a equilibrista" também é um exemplo da maestria atingida pela dupla João Bosco (1946) e Aldir Blanc (1946). No ínicio de 1978, ainda abalado com a morte de Charlie Chaplin no Natal anterior, Bosco mostrou ao parceiro a composição em que vinha trabalhando. Aldir sugeriu que a letra avançasse além da homenagem ao artista e ampliasse o tema para o Brasil. Partindo da estrutura dos sambas-enredo, trocaram o habitual tom épico pelo lírico, com grande apelo emocional e fortes imagens poéticas, eternizando um momento de transição na vida brasileira.

O verso de abertura, o incompreensível "Caía a tarde feito um viaduto", típico da ironia amarga do letrista, anunciava o clima tenso daqueles tempos usando como metáfora o desabamento, em novembro de 1971, de parte do viaduto Paulo de Frontin, na Tijuca, matando dezenas de pessoas. Como contraponto aos temas sombrios, a música de Bosco cita a nostálgica melodia de "Smile", composta para o filme *Tempos modernos* por Chaplin, que tem seu principal personagem lembrado logo em seguida:

"E um bêbado trajando luto / Me lembrou Carlitos."

Com "O bêbado e a equilibrista", Bosco e Blanc construíram um quadro do sufoco vivido pelos brasileiros com as mensagens de esperança da anistia. Também misturaram personagens simbólicos e figuras reais, mas anônimas para muitos até então. O "irmão do Henfil", representando tantos brasileiros exilados, era o sociólogo Betinho (Herbert de Souza), que, meses depois, pôde voltar e contribuir para a redemocratização do país, criando importantes organizações de combate à fome. O verso "choram Marias e Clarices" é referência a duas viúvas de vítimas da ditadura, Maria, mulher do operário Manuel Fiel Filho, e Clarice, do jornalista Vladimir Herzog, ambos assassinados no DOI-CODI, em São Paulo.

Com a volta dos exilados, "O bêbado e a equilibrista" se tornou um hit no aeroporto do Galeão, todos os dias cantada aos gritos enquanto os amigos carregavam nos ombros os que retornavam.

Gravada em dueto
por Bethânia e
Gal, "Sonho meu"
consagrou de vez a
compositora Dona
Ivone Lara

Sonho meu

Ivone Lara e Délcio Carvalho, 1979

Como conta Maria Bethânia, é uma história que tem algo de sonho, mas aconteceu. Em 1978, buscando canções para seu novo disco, conheceu Dona Ivone Lara na casa da violonista Rosinha de Valença, em Copacabana. Na saída, já caminhando para a porta, depois de ter mostrado alguns de seus sambas inéditos, Ivone Lara cantarolou uma pequena melodia que atraiu a atenção da baiana.

Já então lendária compositora, primeira mulher a ser aceita na ala de compositores de uma escola de samba (Império Serrano), explicou que aquele era apenas um trecho, só tinha seus versos iniciais, o refrão "Sonho meu, sonho meu / Vai buscar quem mora longe, sonho meu". Bethânia ficou encantada.

No mesmo dia, assim que chegou em casa, Dona Ivone (1922) ligou para o parceiro Délcio Carvalho (1939-2013) e o chamou para completar o samba que iria se tornar um dos maiores sucessos daquele ano. Gravado semanas depois, num dueto com Gal Costa, "Sonho meu" brilhou no álbum *Álibi* e logo caiu na boca do povo, como um samba romântico e apaixonado, mas que tem na letra também um viés político, em referência cifrada aos muitos exilados que só puderam voltar ao Brasil após a Lei da Anistia, promulgada em agosto de 1979. Desde então, "Sonho meu" tem sido um número obrigatório no repertório de Bethânia, vive nas paradas sentimentais de muita gente e nas vozes de centenas de intérpretes mundo afora.

O sucesso também abriu as portas para Dona Ivone, que havia se aposentado como enfermeira – especializada em terapia ocupacional, por muitos anos, da equipe da doutora Nise da Silveira, a pioneira no uso da arte no tratamento psiquiátrico. Graças a "Sonho meu", assinou um contrato para gravar seu primeiro disco solo, *Samba, minha verdade, minha raiz* e pôde se dedicar de corpo e alma à carreira de compositora. Outro sonho que virou realidade.

No início de seu casamento, Rita e Roberto de Carvalho fizeram essa irresistível pérola pop

Mania de você

Rita Lee e Roberto de Carvalho, 1979

Em qualquer enciclopédia da música popular brasileira, a paulistana Rita Lee Jones (1947) tem lugar garantido em vários verbetes, atravessando diferentes períodos da história. Esteve nos Mutantes, que, em 1968, foi fundamental na equação da Tropicália, participando dos festivais da canção da época e do álbum coletivo homônimo, ao lado de Caetano Veloso, Gilberto Gil, Tom Zé, Nara Leão e do maestro Rogério Duprat.

Ainda no fim dos anos 1960, junto ao trio que formou com os irmãos Arnaldo e Sérgio (Dias Baptista), fez os discos fundadores de um rock realmente brasileiro, que, décadas depois, encantou artistas anglo-americanos como David "Talking Heads" Byrne, Kurt "Nirvana" Cobain, Beck Hansen e Devendra Banhart.

Em meados dos anos 1970, ejetada dos Mutantes, ela passou a liderar o grupo Tutti Frutti e virou a principal cantora e compositora de rock no Brasil. No fim dessa mesma década, compondo em dupla com o marido, o guitarrista e tecladista Roberto de Carvalho (1952), Rita Lee se reinventou outra vez, produzindo uma original mescla de rock, pop, bolero, marchinha, disco music e bossa nova. Um estrondoso sucesso nacional, uma de nossas primeiras *popstars*, abusada e divertida, vivendo um casamento musical perfeito e de grande fertilidade.

"Mania de você", lançada no álbum *Rita Lee*, em 1979, é um ponto alto da perfeita simbiose da dupla. Como revelou em entrevista ao produtor Almir Chediak publicada em seu *Songbook*, Rita escreveu a canção em poucos minutos:

"A gente tinha acabado de transar, ele pegou o violão, eu peguei um caderninho e começamos: 'Meu bem, você me dá água na boca...'. A gente estava em estado de graça."

O país inteiro cantou e rolou junto com o casal. O disco produzido por Guto Graça Mello, com a contribuição fundamental do tecladista e arranjador Lincoln Olivetti, ainda lançou sucessos como "Chega mais", "Doce vampiro", "Papai me empresta o carro" e "Corre-corre".

Muito mais do que "a mais completa tradução" de São Paulo, como disse Caetano, logo Rita conquistou o país de cabo a rabo com hits como "Lança perfume", "Caso sério", "Banho de espuma", "Desculpe o auê" e "Nem luxo nem lixo" . A sua música brasileira e cosmopolita, alegre e festeira, virou mania nacional.

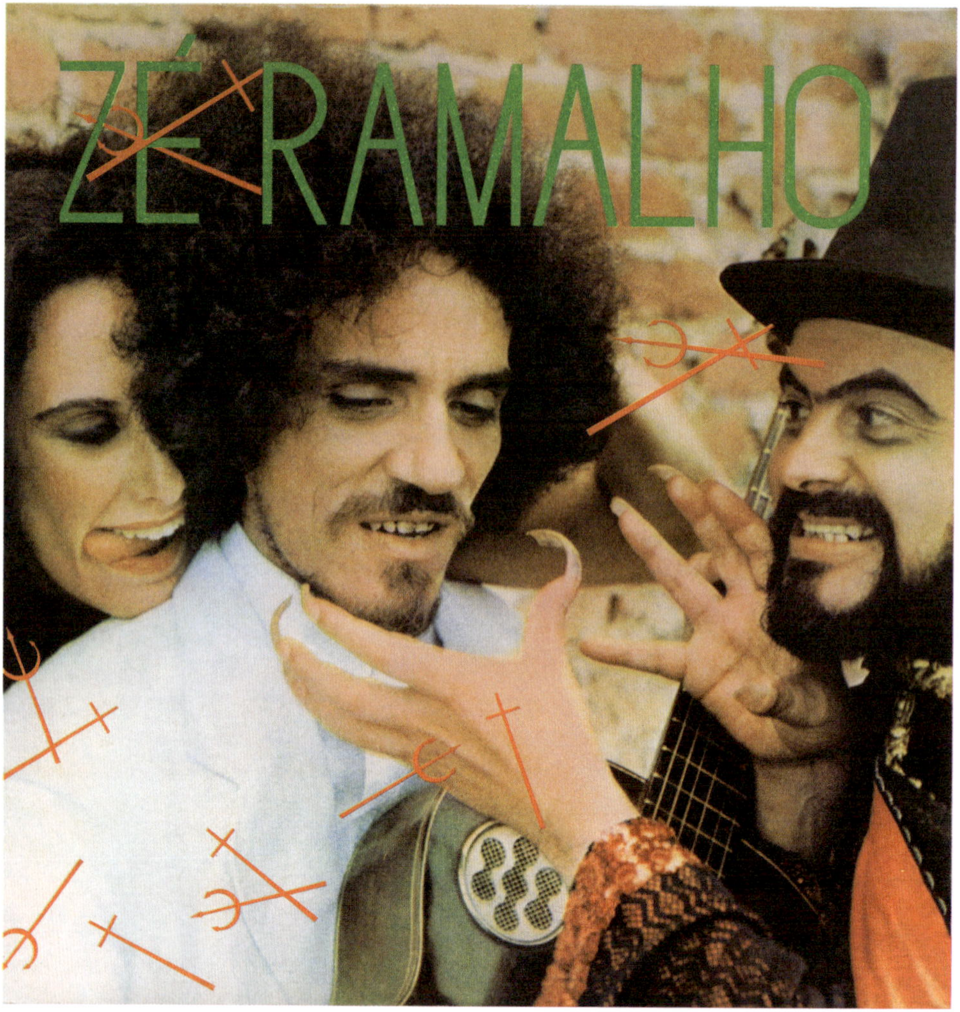

Do segundo álbum solo de Zé Ramalho, essa inusitada fusão de psicodelismo e protesto conquistou as rádios brasileiras

Admirável gado novo

Zé Ramalho, 1980

Num caldeirão em que se misturam literatura de cordel e ficção científica, o rock dos Beatles e dos Stones, o folk elétrico de Dylan, o iê-iê-iê da Jovem Guarda e o baião de Luiz Gonzaga, Zé Ramalho forjou seu estilo original, ganhando lugar na música popular brasileira também como um vigoroso e personalíssimo cantor de voz grave e rascante, fora dos padrões da época e reconhecível às primeiras notas.

Zé também se tornou conhecido por suas letras barrocas e elaboradas a partir de sua vasta cultura do cordel e dos grandes repentistas, como em "Avohai", "Frevo mulher" e "Vila do sossego":

"Meu treponema não é pálido nem viscoso / Os meus gametas se agrupam no meu som / E as querubinas meninas rever / Um compromisso submisso, rebuliço no cortiço / Chame o padre Ciço para me benzer."

"Admirável gado novo" é o melhor exemplo da força, audácia e personalidade do seu estilo, com letras delirantes, irônicas e contundentes integradas ao Nordeste elétrico de suas músicas. A sua letra de protesto entre o cordel e o manifesto político questiona e provoca a passividade da massa manipulada pelos poderes dominantes, num paralelo paródico com a distopia criada pelo escritor inglês Aldous Huxley no livro *Admirável mundo novo*.

Destaque nas rádios do segundo álbum solo de Zé Ramalho, *A peleja do Diabo com o Dono do Céu*, lançado no fim de 1979, "Admirável gado novo" teve um segundo surto de popularidade quase duas décadas depois. A mesma gravação, com arranjo do tecladista Paulo Machado, foi incluída, como tema dos personagens sem-terra, na trilha sonora da novela *O rei do gado* (Rede Globo, 1996/1997) com espetacular sucesso popular de Norte a Sul do Brasil. Ainda em 1997, uma vigorosa versão de Cássia Eller (na coletânea *Música urbana*) explodiu nas rádios, universalizando e dando nova vida à canção.

Nascido em 3 de outubro de 1949 em Brejo da Cruz, interior da Paraíba, Zé chegou a João Pessoa na adolescência e deu seus primeiros passos musicais influenciado pelo rock e pela Jovem Guarda. Em 1975, gravou ao lado do pernambucano Lula Côrtes o lendário e ultra-underground álbum *Paêbiru*, de rock nordestino e psicodélico, que foi ignorado na época mas virou um dos álbuns mais procurados por adoradores de vinil do mundo inteiro. Zé Ramalho começou a ser reconhecido a partir de 1976, participando da banda elétrica de Alceu Valença. Dois anos depois, seu primeiro álbum solo já anunciava a alquimia sonora e poética que ele iria sintetizar em "Admirável gado novo".

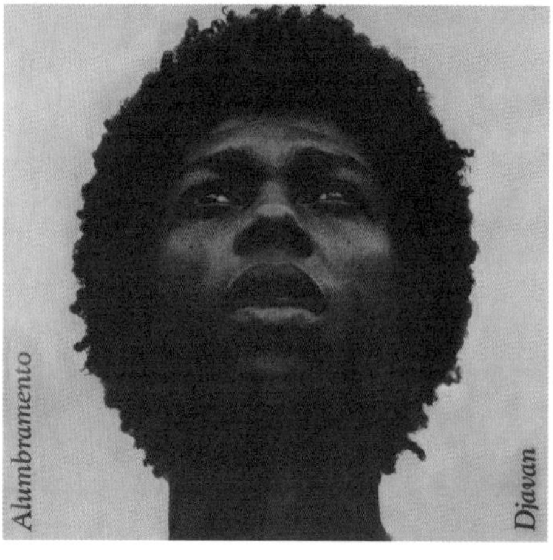

Uma balada arrebatadora, "Meu bem querer" calou a boca dos que questionavam o suposto hermetismo das letras de Djavan

Meu bem querer

Djavan, 1980

Em seu terceiro álbum, *Alumbramento* (EMI--Odeon, 1980), o alagoano Djavan Caetano Viana (1949), que havia começado cantando em pianos-bares da Zona Sul do Rio de Janeiro, já era um cantor e compositor completo e de grande originalidade. A balada "Meu bem querer", gravada com belo arranjo de Wagner Tiso, foi o principal sucesso desse disco, consolidando de vez a marca autoral de Djavan. A partir daí, a música virou um número fundamental em sua carreira, também sendo adotada por cantores da noite em qualquer ponto do Brasil.

Na época, por sugestão da gravadora, talvez preocupada com algumas críticas que não entendiam as suas originalíssimas letras sonoras e suas imagens surpreendentes, Djavan também trabalhou com letristas consagrados como Aldir Blanc, Paulo Emílio, Cacaso e Chico Buarque. Mas foi exatamente uma das três canções do disco escritas apenas por ele a que mais se destacou nas rádios.

O sucesso de "Meu bem querer" também foi ampliado por sua inclusão na trilha sonora da novela *Coração alado*, da Rede Globo, exibida entre 1980 e 1981. Depois, duas outras novelas voltaram a usar com sucesso a música de Djavan, *A indomada*, em 1997, e até emprestando o título à homônima *Meu bem querer*, em 1999.

Em setembro de 2015, ao participar de série *Depoimentos para a posteridade*, do Museu da Imagem e do Som do Rio de Janeiro, Djavan revelou as suas cinco composições favoritas, incluindo "Meu bem querer" ao lado de "Flor de Lis", "Fato consumado", "Oceano" e "Lilás".

Com sua melodia densa e sinuosa, a canção embala versos românticos impecáveis e apaixonados, que passam longe de hermetismos e rimas inusitadas, e também ganhou belas interpretações de Zizi Possi, Simone, Nana Caymmi e Boca Livre.

Inspirado no sucesso "New York, New York", esse fox de Roberto e Erasmo virou o prefixo dos shows do Rei

Emoções

Roberto Carlos e Erasmo Carlos, 1981

Lançada em novembro de 1981, como uma das dez faixas do álbum *Ele está para chegar*, "Emoções" contagiou imediatamente o público e se tornou um dos maiores sucessos de Roberto Carlos. Hit instantâneo com presença avassaladora nas rádios, a música batizou o show que, em dezembro, estreou no palco do Canecão, no Rio de Janeiro, e desde então virou o prefixo de abertura de todos os shows de Roberto.

Nessa parceria com Erasmo, Roberto, que estava com 40 anos, confirmava a sua paixão pelos standards, o estilo de música que imperou nos Estados Unidos até meados da década de 1950, com as *big bands* e seus fabulosos crooners, até o surgimento devastador do rock and roll. A letra romântica de "Emoções" é um balanço autobiográfico do privilégio de ter vivido, entre lágrimas e risos, tantas emoções, que o fizeram otimista e esperançoso com as que ainda virão.

A grande inspiração para a música e o seu arranjo foi a gravação de Frank Sinatra de "New York, New York", lançada em 1980, com sucesso no mundo inteiro. O impactante arranjo original de "Emoções" foi escrito pelo maestro americano Torrie Zito.

Talvez por sua letra tão pessoal e identificada com Roberto, raros intérpretes ousaram regravar a música. Mas sobram regravações do autor. Desde o seu lançamento, "Emoções" nunca mais saiu dos roteiros dos espetáculos de Roberto e também teve lugar garantido nos muitos discos e DVDs ao vivo que ele vem fazendo nas duas últimas décadas, com pouco material inédito.

A carreira de Roberto Carlos não se descolou mais deste sucesso, e vice-versa. Além da turnê de lançamento do disco, a música já batizou o avião em que o cantor percorreu o Brasil na sua turnê de 1982, um perfume lançado no mercado em 2008, uma coleção de joias lançada em 2009 e uma empresa de empreendimentos imobiliários aberta em 2014. Até hoje, inclusive, dá nome ao cruzeiro marítimo que, desde 2005, ele tem feito todos os verões: "Emoções em alto mar".

E "as emoções se repetindo", como ondas no mar.

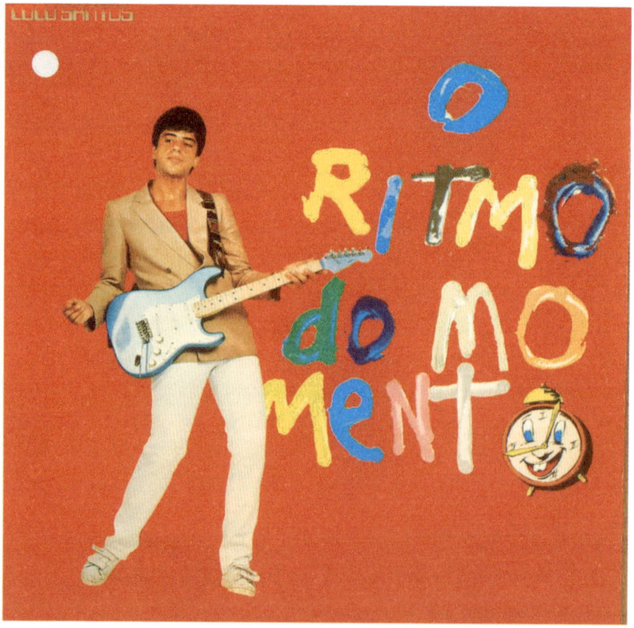

Esse bolero pop, com letra "zen-surfista" de Nelson Motta, confirmou de vez o talento de Lulu Santos

Como uma onda

Lulu Santos e Nelson Motta, 1982

Depois de um *single* com seu grupo de rock progressivo Vímana (com Lobão, Ritchie, Luis Paulo Simas e Fernando Gama) ter passado em branco, o carioca Lulu Santos (1953) iniciou carreira solo com o nome de Luiz Mauricio, também sem sucesso. Em 1976, ele havia trabalhado como músico com o jornalista, letrista e produtor Nelson Motta no musical *Feiticeira*, estrelado por Marilia Pêra, mas só em 1980 eles se reencontraram para iniciar uma carreira vitoriosa de *hitmakers*.

Nelson começou como letrista na era dos festivais, com 21 anos. Escrita em parceria com Dori Caymmi, "Saveiros" venceu o I FIC (Festival Internacional da Canção) em 1966. Em seguida, a dupla levou "O cantador" às finais no histórico festival de 1967 da TV Record. Depois do AI-5, em 1969, Nelson parou de compor, só voltando em 1977, com o provocativo rock "Perigosa", parceria com Rita Lee e Roberto de Carvalho e sucesso nacional com as Frenéticas.

Em 1982, Nelson gravava todos os dias o talk show *Noites cariocas*, na TV Record do Rio, em dupla com a jornalista Scarlet Moon. Recém-casada com Lulu, ela os reaproximou e estimulou a comporem juntos. Começaram com o rock "Tesouros da juventude" e emplacaram seu primeiro hit com o surf rock "De repente Califórnia", do filme *Menino do Rio*, de Antônio Calmon, um espetacular sucesso de bilheteria.

"Como uma onda" foi feita originalmente para outro longa de Calmon, *Garota dourada*, que pretendia surfar na onda de *Menino do Rio*. Mas a produção se arrastou tanto que, quando o filme foi lançado (e naufragou nas salas de cinema), a música já era um grande sucesso nacional.

Apesar de ligado ao rock desde garoto, em "Como uma onda" Lulu fez um bolero. Original e moderno, com referências de música havaiana, mas um bolero pop. A letra de Nelson é inspirada no verso "A vida vem em ondas como o mar", de Vinicius de Moraes no poema "Dia da criação". Para que não soasse pretensiosa e metida a filosófica, foi acrescentado o subtítulo irônico de "Zen surfismo", que sintetiza a mistura de leituras de Jorge Luís Borges, filosofia budista e a Bíblia com o hedonismo de surfistas e gatinhas de praia, os personagens de *Garota dourada*.

"Nada do que foi será / de novo do jeito que já foi um dia / Tudo passa, tudo sempre passará / A vida vem em ondas como o mar / num indo e vindo infinito."

Na certeza de que tristezas e alegrias passarão, e voltarão sempre, como no eterno retorno do filósofo grego Heráclito (540 a.C.), a música tocou o coração do público. Tanto como celebração da permanente mutação da vida, quanto como consolo para as dores do mundo.

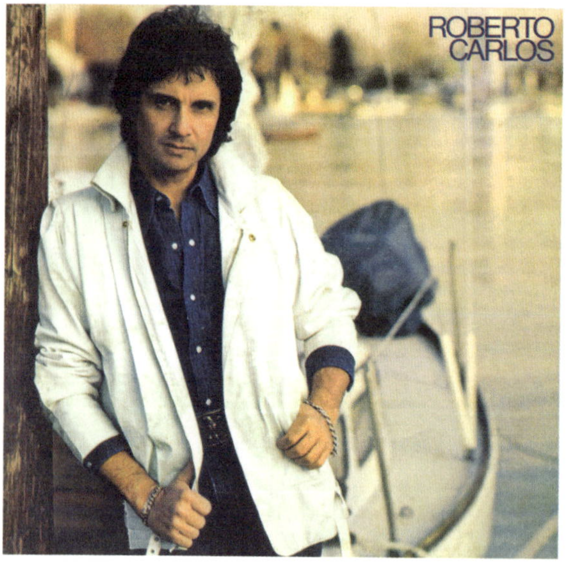

Lançada por Roberto em seu disco de 1982, essa balada logo foi gravada também por Gal e Caetano

Fera ferida

Roberto Carlos e Erasmo Carlos, 1982

Lançada no fim de 1982, no disco anual de Roberto Carlos, que então funcionava como um aviso de que o Natal chegara, "Fera ferida" logo foi incorporada à sua longa lista de clássicos. Na letra extensa, um sofrido desabafo de alguém devastado por uma separação, Roberto e Erasmo usam imagens fortes e referências aos instintos animais para marcar a sensação de desespero do narrador. São tantos sentimentos expostos com crueza e lirismo, envolvidos por uma bela melodia romântica, mas cheia de tensões, que logo foi considerada uma das mais perfeitas composições da dupla.

A música começa feroz, com a última briga, cheia de fúria selvagem:

"Acabei com tudo / Escapei com vida / Tive as roupas e os sonhos / Rasgados na minha saída."

Depois explica as razões de ter se entregado ao amor e se decepcionado:

"Animal arisco / Domesticado esquece o risco / Me deixei enganar / E até me levar por você."

Sim, "Fera ferida" foi um sucesso animal, não só com Roberto. Em 1987, também ganhou uma bela versão de Caetano Veloso, mais pop, com arranjo de Lincoln Olivetti. Seis anos depois foi a vez de Maria Bethânia, como uma das faixas mais fortes de um disco inteiramente dedicado ao repertório do Rei, *As canções que você fez pra mim*, com recordes de vendagem. Sua gravação, produzida por Guto Graça Mello, é romântica e classuda, com belo arranjo de cordas. A música também foi escolhida como tema de abertura e título de uma novela que a TV Globo exibiu entre 1993 e 1994.

"Fera ferida", portanto, virou mais um elo entre três personagens que já tinham uma ligação forte. Como Caetano conta, até a metade dos anos 1960, o jovem convertido à música por João Gilberto não dava bola para a Jovem Guarda. Foi só depois de comentários da irmã quatro anos mais nova que começou a gostar das canções de Roberto e Erasmo.

Entre o samba-
-exaltação e o protesto,
"O que é, o que é?"
é puro Gonzaguinha

O que é, o que é?

Gonzaguinha, 1982

Motivos para mágoa e revolta nunca faltaram para Gonzaguinha. Da infância e adolescência sofridas, marcadas pelos conflitos com o pai (Luiz Gonzaga), até começar sua carreira no período mais tenebroso da ditadura militar, foram muitas as pedras no caminho. Mas, a partir do fim dos anos 1970, depois de anos de guerra com a Censura e a ditadura que lhe valeram o apelido de cantor--rancor, amadureceu, teve filhos e reinventou-se como um eterno aprendiz, cantando que, apesar de todas as dores, injustiças e horrores, a vida era bonita e podia ser ainda melhor.

"A vida da gente é um nada no mundo / É uma gota, é um tempo que nem dá um segundo / Há quem fale que é um divino mistério profundo / É o sopro do criador numa atitude repleta de amor."

Faixa de abertura de seu 11º álbum solo, *Caminhos do coração*, lançado em 1982, "O que é, o que é ?" sintetiza a visão de mundo que passou a pautar o artista maduro. Na época, o Brasil vivia os estertores da ditadura militar e o país avançava na abertura política que levaria à eleição indireta de Tancredo Neves em 1985. Cada um seria livre para compor o que quisesse.

Por seu estilo festivo, sua batida empolgante, sua linguagem popular, a música foi até classificada como um paradoxal "samba-exaltação de protesto", por traduzir o sentimento de brasileiros que apostavam na esperança e nas mudanças.

Tendo seu compositor disputado pelas grandes intérpretes da MPB depois da gravação original, "O que é, o que é?" virou clássico, com sua mensagem de fé e esperança atravessando o tempo nas vozes de Simone, Maria Bethânia, Beth Carvalho e Zé Ramalho.

De bem com a vida, Gonzaguinha, infelizmente, teve fim precoce: em 1991, aos 45 anos, morreu vítima de um acidente no carro que dirigia numa estrada do Paraná.

Djavan tem entre suas marcas conjugar com perfeição lirismo e balanço, e "Sina" é exemplar nesses quesitos

Sina

Djavan, 1982

Um dos melhores e mais originais estilistas da MPB – apenas uns poucos acordes já identificam uma música sua –, Djavan desenvolveu seus dons com bandas de baile em Maceió e, depois, no Rio de Janeiro, como crooner dos melhores pianos-bares da Zona Sul nos anos 1970. Neste período conviveu intensamente com grandes músicos jazzistas, desenvolvendo uma linguagem musical em que a MPB, o jazz e a música nordestina se misturam harmonicamente.

Mas não é só de melodias e harmonias surpreendentes e sofisticadas e de seu canto doce e suingado que se faz o estilo de Djavan. Suas letras são cheias de imagens audaciosas e com um vocabulário em que a sonoridade também pode ser o próprio significado da palavra. Nelas, a sequência de sílabas se harmoniza com a cadência do ritmo, rompendo com a tradição literária em favor de uma poética sonora em que música e letra formam uma unidade que cria novos significados.

"Sina", de 1982, é uma das mais completas traduções do seu estilo de música e letra, com imagens fortes e surpreendentes. Segundo o autor, a canção é o relato, djavaneado, de uma relação de amor que não acontece, uma conquista frustrada que gera saudades da pessoa amada apesar da impossibilidade de tê-la.

Lançada em *Luz*, o álbum que, em 1982, transformou Djavan numa estrela de sucesso popular, a música ficou meio adormecida nos primeiros tempos. Mesmo que, ainda naquele ano, tenha sido regravada por Caetano no disco *Cores nomes*. Homenageado em "Sina" com o neologismo "caetanear" (no sentido de compor tão bem quanto Caetano), o baiano retribuiu o afago trocando a palavra inventada por "djavanear". A partir de 1986, "Sina" conquistou de vez o público e virou número obrigatório em shows de Djavan.

Beatriz

Edu Lobo e Chico Buarque, 1983

Assim que foi lançada, em 1983, na trilha sonora de *O Grande Circo Místico*, "Beatriz" virou a favorita entre os muitos admiradores de Edu Lobo e se consagrou como um clássico instantâneo, com lugar de honra em qualquer lista das mais belas canções brasileiras. A lírica descrição da vida e dos mistérios de uma atriz está entre as preciosidades que Edu Lobo e Chico Buarque escreveram por encomenda do Balé do Teatro Guaíra, de Curitiba.

Revelados e consagrados durante os festivais competitivos que sacudiram o país nos anos 1960, Edu Lobo (1943) e Chico Buarque nunca deixaram as disputas minarem a amizade que se estreitou através dos anos e que virou uma parceria perfeita a partir desse musical. Desde então, em meio às suas carreiras individuais, eles já se juntaram mais três vezes em colaborações para os palcos, nas peças musicais *O corsário do rei*, *Dança da meia-lua* e *Cambaio*.

Naquele início dos anos 1980, quando o novo rock brasileiro começava a tomar as paradas, estourando em rádios e programas de TV, Edu e Chico velejavam contra a corrente com o complexo universo lírico de *O Grande Circo Místico*. A partir de um enredo inspirado num poema do alagoano Jorge de Lima, eles criaram a trilha sonora com música circense, blues, baladas, canções e valsas, como a delicada "Beatriz", prova de fogo para intérpretes pelas surpresas e dificuldades de sua linha melódica e pelas intensas emoções da linda letra.

"Sim, me leva para sempre, Beatriz / Me ensina a não andar com os pés no chão / Para sempre é sempre por um triz / Aí, diz quantos desastres tem na minha mão / Diz se é perigoso a gente ser feliz."

No disco com a trilha original, lançado em 1983 pela Som Livre, "Beatriz" veio na voz de Milton Nascimento, no auge de sua técnica e sensibilidade. É uma versão definitiva, insuperável: só a voz de Milton, o piano de Cristóvão Bastos e um deslumbrante arranjo de cordas de Chiquinho de Moraes. Mas muitas outras gravações memoráveis foram feitas por algumas das melhores vozes do Brasil, como Zizi Possi, Mônica Salmaso, Ed Motta e Ana Carolina, todas à altura da beleza arrebatadora da canção.

EDU LOBO/CHICO BUARQUE

Já consagrados, eles se juntaram em parcerias nas quais Edu (na foto) entra com a música e Chico, com a letra. "Beatriz" é filha desse casamento perfeito

Emocionado pelo tema musical de Wagner Tiso, Milton escreveu a letra que virou um hino para muitas causas políticas

Coração de estudante

Wagner Tiso e Milton Nascimento, 1983

Mesmo que tenha feito sozinho letra e música de muitas canções, em suas parcerias Milton Nascimento quase sempre assina a melodia. "Coração de estudante" é das raras em que ele escreveu a letra, a partir de um tema instrumental que Wagner Tiso criou em 1983, para a trilha sonora do documentário *Jango*, de Sílvio Tendler.

Milton assistiu ao filme numa sessão para convidados, antes de sua estreia nos cinemas e, ao chegar em casa, com a triste melodia de Wagner rodando na cabeça e emocionado com a história do presidente deposto pelo Golpe de 1964, escreveu a letra. Coloquial e lírico, sem usar mensagens de protesto explícitas, Milton criou um hino político que tem servido para muitas causas. Foi adotado tanto na campanha pela volta das eleições diretas para presidente, em 1984, quanto, no ano seguinte, como o tema da agonia e morte de Tancredo Neves, cantada pelas multidões ao longo de todo o cortejo.

Além de estar associada a tristes lembranças, a canção continua como uma ode à generosidade da juventude e prova de fé no ser humano.

Nascido em Três Pontas, Minas Gerais, Wagner Tiso Veiga (1945) é amigo e companheiro musical de Milton desde a adolescência, quando fizeram parte do grupo The W's Boys. Continuaram juntos em Belo Horizonte, pelos bailes da vida, indo onde o povo estava, até a consagração de Milton com "Travessia" no festival de 1967 e Wagner se tornar um dos grandes pianistas e arranjadores brasileiros.

No início dos anos 1970, Tiso liderou o grupo Som Imaginário, que jogava eletricidade, timbres e sonoridades de rock na MPB de Milton. O parceiro também esteve junto no lançamento de "Coração de estudante", como pianista e regente da orquestra do show em São Paulo, em novembro de 1983, registrado no disco *Ao vivo*.

Pro dia nascer feliz

Cazuza e Frejat, 1983

Lançada pelo Barão Vermelho em 1983, "Pro dia nascer feliz" dormia esquecida no segundo disco do grupo carioca até, meses depois, chegar às rádios a sensacional versão de Ney Matogrosso. Grande amigo de Cazuza, Ney tinha ouvido a canção numa fita, antes de a gravação do Barão chegar ao mercado, e insistiu para regravá-la no álbum *...pois é*, que saiu no fim do ano.

O impacto nas rádios deste rock cru, de letra hedonista, na voz de Ney foi tão forte que despertou o interesse de alguns programadores pela versão original do Barão. Relançada em *single* pela Som Livre, essa gravação, mais rascante e suja, também começou a ter grande execução, chamando atenção para a nova banda e dando o primeiro de muitos hits à dupla Frejat e Cazuza.

Rebelde e amoroso, sensível e debochado, cronista agudo de seu tempo, falando de sexo e drogas com uma linguagem original em que amores adolescentes do rock se cruzam com dramas passionais do samba-canção, Cazuza (Agenor Miranda de Araújo Neto, 1958-1990) encontrou em Roberto Frejat (1962) o parceiro ideal. O guitarrista encharcou de rock e blues aquelas crônicas cariocas de uma vida sem rédeas, levada às últimas consequências, como celebraram em "Pro dia nascer feliz", autorretrato do artista como um assumido vagabundo em busca do prazer, "nadando contra a corrente só para exercitar / todo o músculo que sente" e sempre querendo mais.

Influenciados pelos Rolling Stones, e incentivados pelo produtor Ezequiel Neves, eles se tornaram os Jagger & Richards do rock brasileiro. Durante cerca de quatro anos, os dois produziram muito, emplacando vários sucessos, como "Bete Balanço", "Por que que a gente é assim?" e "Todo amor que houver nessa vida", até Cazuza sair para a carreira solo em 1985.

Os "Jagger & Richards" do rock brasileiro assinam esse autorretrato do roqueiro enquanto exagerado, lançado no segundo LP do Barão Vermelho, na época formado por Dé (à esquerda), Mauricio Barros, Cazuza, Frejat e Guto Goffi

À frente do grupo Ultraje a Rigor, Roger (à direita na foto) sintetizou a desilusão de sua geração com a política brasileira

Inútil

Roger Moreira, 1984

Como resposta ao Golpe de 1964, a música de protesto se fez mais presente no Brasil e foi mudando de forma, conteúdo e intenções. Ainda naquele ano, o samba "Opinião", de Zé Kéti, e a toada "Carcará", de João do Vale, marcaram a reação da canção brasileira à ditadura militar. Em seguida, se destacaram a metafórica "Disparada" (Théo de Barros e Geraldo Vandré, 1966), do vaqueiro que enfrenta o dono da boiada, e a incisiva "Pra não dizer que não falei das flores" (também de Vandré, em 1968), esta tão provocativa que contribuiu para a edição do AI-5.

Ao longo dos anos 1970, além dos clássicos oposicionistas de Chico Buarque, João Bosco e Ivan Lins, quase todas as músicas do primeiro time da MPB eram, ou pareciam, de protesto, mesmo aquelas sem qualquer intenção. Para driblar a censura, os compositores foram obrigados a criar metáforas tão elaboradas que acabavam não sendo entendidas pelo público. Mas novas formas de protesto surgiram, agora caracterizadas pelo deboche e pelo sarcasmo. Essas foram as armas usadas em 1973 por Raul Seixas em "Mosca na sopa" e "Ouro de tolo", achincalhando os valores do Brasil Grande da ditadura.

Com a abertura política, nos anos 1980, bandas do rock brasileiro como Legião Urbana, Titãs, Paralamas do Sucesso e Barão Vermelho seguiram a trilha inaugurada por Raul. E, além de contundente crítica política, discutiam drogas e sexualidade, temas tabus tanto para a direita no poder quanto para a esquerda brasileira.

Em 1983, a ditadura agonizava e aumentava a pressão popular por eleições diretas para presidente. Em São Paulo, Roger Moreira (1956), que abandonara a faculdade de Arquitetura para criar o Ultraje a Rigor, cantarolava um roquezinho debaixo do chuveiro, quando lhe veio o refrão, com as palavras que mais ouviu de seu pai depois de trocar a faculdade pela música: "Inútil! Você é um inútil!"

Cheia de erros de concordância propositais, de efeito cômico, a música não foi feita com intenções políticas, Roger queria só retratar o atraso do brasileiro que não se importa com nada. Mas, graças ao verso "a gente não sabemos escolher presidente", citado até pelo líder oposicionista Ulysses Guimarães, acabou virando um hino da campanha pelas Diretas Já. Não como um épico, mas como um ultraje, com multidões cantando pelas ruas do país "Inútil, a gente somos inútil".

Foi tudo inútil mesmo. As diretas não passaram no Congresso e a ditadura acabou com a eleição indireta do oposicionista Tancredo Neves.

Com letra de seu irmão, Antonio Cícero, Marina Lima flagrou os anseios de mudanças do início dos anos 1980

Fullgás

Marina Lima e Antonio Cícero, 1984

O Brasil fervia em 1984, assolado por uma crise econômica sem precedentes, mas empolgado com a perspectiva do fim da ditadura. A campanha das Diretas Já arrebatava o país unindo políticos, artistas e intelectuais no mesmo palco e arrastando multidões às praças. Havia muita esperança no ar com o sonhado fim da ditadura e o exercício da plena liberdade criativa, em que o civismo se misturava ao romantismo, como em "Fullgás".

Esse também foi um ano de vigorosa produção musical. Do já comentado hino sarcástico das Diretas "Inútil" a canções políticas agressivas como "Podres poderes", de Caetano Veloso, passando por belas baladas românticas como "Fogueira", de Angela Ro Ro, e "Me chama", de Lobão. Abraçando esses extremos estava outro sucesso que permaneceu, "Fullgás", da carioca Marina Lima e seu irmão, o poeta e filósofo Antonio Cícero. É um rock leve e elegante, com tempero jazzístico, que integra o sabor brasileiro ao pop internacional, funde o político ao amoroso e expressa o momento de esperança do Brasil. Seu verso de encerramento fez história, unindo o sentimento coletivo e o individual: "Você me abre seus braços / e a gente faz um país."

Com o neologismo "Fullgás", Marina e Cícero integram os sentidos de "a todo vapor" e da fugacidade do tempo e dos sentimentos. A canção deu nome e foi o grande sucesso do quinto disco da cantora e compositora, estabelecendo-a como autora de grande personalidade e estilo, como voz das mulheres de sua geração. Após cinco anos de carreira, o pop melodioso, o fraseado musical fluente e elegante, as letras sonoras e elaboradas de Antonio Cícero e uma atmosfera sensual criada pelos arranjos sofisticados e pela voz quente de Marina conquistavam o grande público.

Regravada até pelo papa da bossa nova João Gilberto, "Me chama" foi lançada no álbum de Lobão (à esquerda na foto) com os "Ronaldos" Odeid, Alice Pink Pank, Guto Barros e Baster Barros

Me chama

Lobão, 1984

Em meados dos anos 1970, o carioca João Luiz Woerdenbag Filho (1957) começou a escrever seu nome na nascente cena do rock brasileiro. Ele tinha 16 anos quando trocou o estudo do violão clássico pela bateria. Algum tempo depois, já conhecido como Lobão, virou o baterista da banda de rock progressivo Vímana, ao lado de Lulu Santos e Ritchie. Em 1982, após participar do lançamento da Blitz, abandonou escandalosamente o grupo, justamente no momento do estouro popular, para fazer seu primeiro disco solo, também como cantor e compositor, *Cena de cinema*. Dois anos depois, com seu segundo álbum, *Ronaldo foi à guerra*, e o sucesso da balada "Me chama", provou que fizera a coisa certa.

Lobão conta que tudo começou com a frase "nem sempre se vê mágica no absurdo", que lhe veio à cabeça e não o abandonou por quase dois anos. Até o dia em que decidiu transformá-la em ponto de partida para uma canção despudoradamente romântica. A primeira versão da melodia, ainda sem letra, soava tão natural e popular que ele tentou descartá-la, achando-a "vulgar". Um amigo que a ouviu assegurou que ali estava o embrião de um futuro hit, encorajando Lobão a terminá-la.

Meses depois, de volta da Holanda, onde ficara sua namorada, Lobão estava sozinho em casa, no Rio, num dia de frio e chuva. Com o telefone cortado por falta de pagamento e, por puro tédio, decidiu pintar a sala. Como só podia receber ligações, esperava ansiosamente que o telefone tocasse enquanto pintava e repintava a sala e criava a letra sofrida de "Me chama".

Gravada em 1984 tanto por Marina Lima quanto por Lobão, foi um grande sucesso popular. Além de estabelecer um novo padrão de romantismo moderno, foi responsável por um dos mais extraordinários *crossovers* da música brasileira ao ser regravada por João Gilberto, então representando o oposto estético do rock brasileiro. Com sua abordagem intimista, sussurrando as palavras acompanhado de violão e cellos, João emocionou e surpreendeu duplamente Lobão. Primeiro por gravar "Me chama", depois, por omitir justamente a frase que o inspirou: João não viu mágica no absurdo, como nem sempre se via, e a própria letra dizia.

"Será" mostrou a abrangência da obra de Renato Russo (no alto), que, nessa música, dividiu os créditos com Marcelo Bonfá (à esquerda) e Dado (à direita). Lançada no álbum de estreia da Legião Urbana (então completada pelo baixista Negrete), depois foi regravada até por grupos de pagode

Será

Renato Russo, Dado Villa-Lobos e Marcelo Bonfá, 1984

Inspirada na urgência do movimento punk, com um discurso político contundente e libertário, a Legião Urbana se tornou uma das bandas mais representativas do rock brasileiro dos anos 1980. Sucesso absoluto desde a estreia em disco, o grupo foi adotado e adorado como um porta-voz crítico da autodenominada geração Coca-Cola. Mas, além da vertente de crítica e combate, muito presente nos discos iniciais, o lado lírico e existencialista de Renato Russo foi um fator fundamental para o grupo avançar além dos limites do rock.

Faixa de abertura do arrasador disco de estreia, em novembro de 1984, "Será" tem letra de Renato Russo (1960-1996) e música dividida com o guitarrista Dado Villa-Lobos (1965) e o baterista Marcelo Bonfá (1965). Sucesso que também continua como o principal exemplo do *crossover* conseguido pela Legião: no início dos anos 1990, seria regravada tanto por Simone quanto pelo grupo de pagode Raça Negra.

Primeiro sucesso da Legião nas rádios, a canção permitia diversas associações, como um protesto contra a sociedade opressiva da época em versos como "Tire suas mãos de mim" e "Não é me dominando assim", mas, antes de tudo, era uma poderosa canção de amor, tentando usar da razão para sobreviver à paixão avassaladora que o consome.

Como Renato revelou anos depois, entre as inspirações para "Será" estava a leitura de *O médico e o monstro*, o clássico de Robert Louis Stevenson do século XIX. A frase "Nos perderemos entre monstros / da nossa própria criação?" mostra que cada um de nós tem dentro de si tanto Dr. Jekyll quanto Mr. Hyde.

Duas décadas após a morte de Renato – aos 36 anos, em outubro de 1996 –, a dupla Villa-Lobos e Bonfá retomou a Legião, voltando aos palcos para o encanto de velhos e novos fãs. E, nos shows, "Será" tem lugar certo.

Os Paralamas, de Herbert (à direita), Barone e, ao fundo, Bi, incorporaram ao rock ecos dos ritmos nordestinos e do afro-pop

Alagados

Herbert Vianna, Bi Ribeiro e João Barone, 1986

Um dos melhores grupos surgidos no rock brasileiro dos anos 1980, os Paralamas do Sucesso começaram a se diferenciar de seus contemporâneos graças a seu terceiro álbum, *Selvagem?*, de 1986, que tinha como faixa de abertura "Alagados", uma crônica social de como vivia (e ainda vive) parte da população carente no Brasil. Assinada por Herbert Vianna (1961), Bi Ribeiro (1961) e João Barone (1962), esta música também funcionou como uma carta de intenções da nova fase do trio, depois de um início fortemente influenciado pelo rock-reggae do Police. A letra avançava além das questões existenciais adolescentes e urbanas de seu grande sucesso anterior, "Óculos", e, musicalmente, promovia uma perfeita integração do rock com ritmos dançantes do Terceiro Mundo, onde muitos vivem misérias semelhantes.

No estúdio caseiro montado no apartamento da avó de Bi, começaram a preparar o repertório de *Selvagem?*, dispostos a se descolar da marcante influência do Police, adicionando ao seu reggae branco a pulsação do dub jamaicano, novos ritmos dançantes de Salvador e muito afropop contemporâneo.

A partir de levadas do baixo e *riffs* de guitarra, eles apostavam nos *grooves*, formatando cada composição antes de pensar nas letras, que tiveram que se integrar ao ritmo e ao clima musical. A inspiração para "Alagados" foi a memória de Herbert de seu breve período de estudante de Arquitetura na Ilha do Fundão, quando passava diariamente em frente à Favela da Maré, uma paisagem degradada semelhante à das palafitas de Alagados, em Salvador, ou da cidade jamaicana de Trenchtown, ambas citadas no refrão da música, gravada num dueto vocal com Gilberto Gil.

A temática social e a sonoridade diferenciada para os padrões da época deram um upgrade aos Paralamas, como a perfeita fusão do rock com ritmos brasileiros, africanos e caribenhos, que, na década seguinte, influenciaria o trabalho de grupos como Chico Science & Nação Zumbi, Mundo Livre SA, Skank e O Rappa.

Coração em desalinho

Monarco e Ratinho, 1986

Regravada em 1999 por Zeca Pagodinho no disco *Ao vivo*, esta canção tinha sido lançada, mas sem tanta repercussão, pelo próprio sambista em seu álbum de estreia, em 1986. Em seguida, no novo século e já com status de clássico, "Coração em desalinho" também voltou nas vozes de cantoras como Maria Rita e Leila Pinheiro, como uma das pérolas da parceria de Monarco e Ratinho, também responsáveis por outro grande sucesso no repertório de Zeca Pagodinho, "Vai vadiar".

Apesar de ser o criador da melodia e da primeira parte da letra, Monarco registrou a parceria com Ratinho em nome de seu filho, o também compositor Mauro Diniz, porque a editora que administrava as suas músicas estava atrasando o repasse de direitos autorais, e ele achou que seria melhor arrecadar pela editora das músicas de Mauro.

Hildemar Diniz, o Monarco, nasceu em 17 de agosto de 1933, e chegou a Oswaldo Cruz, o bairro onde está sua Portela, na adolescência. Aos 20 anos, emplacou seu primeiro samba e foi convidado para a seleta ala de compositores da escola. Atual presidente da Velha Guarda da Portela, ele tem uma coleção de sambas gravados por alguns dos principais intérpretes brasileiros e, desde 1976, também vem lançando discos como cantor.

Seu parceiro Ratinho é a prova de que português também faz samba. E muito bem. Nascido na região do Alto Douro, no norte de Portugal, em 5 de março de 1948, e batizado como Alcino Correia Ferreira, tinha 4 anos quando sua família se mudou para o Rio de Janeiro. Muito jovem Ratinho mostrou queda pela música e logo venceu por sete vezes a disputa de samba-enredo da Caprichosos de Pilares. Morto aos 62 anos, em 2010, deixou muitos sambas em parceria com Zeca Pagodinho, Mauro Diniz, Marquinho PQD e Arlindo Cruz.

Monarco começou a escrever a música que virou "Coração em desalinho" em 1981, inicialmente como um samba-enredo para a Unidos do Jacarezinho. Mas desistiu da ideia depois de, na quadra da escola, conhecer e se encantar com um samba de outros concorrentes. Algum tempo depois, mudou a letra e pediu a Ratinho que fizesse a segunda parte. Samba pronto, Monarco pretendia oferecer a Martinho da Vila, mas foi convencido pelo produtor Milton Manhães a apostar num novo cantor que se preparava para gravar seu primeiro disco: Zeca Pagodinho, que levou "Coração em desalinho" a clássico do samba.

Lançado e regravado por Zeca Pagodinho, esse samba é um dos clássicos da dupla Monarco (na foto) e Ratinho

"Comida", que entrou no cardápio da MPB, regravada por Marisa Monte, Bethânia, Ney Matogrosso e Exaltasamba, foi o destaque do quarto álbum dos Titãs, então um octeto, com Arnaldo Antunes (no alto, à esquerda), Branco Mello, Paulo Miklos, Charles Gavin e, agachados, Tony Bellotto, Marcelo Fromer, Nando Reis (de chapéu) e Sérgio Brito

Comida

Arnaldo Antunes, Marcelo Fromer e Sérgio Britto, 1987

Lançada pelos Titãs em seu quarto álbum, *Jesus não tem dentes no país dos banguelas*, de 1987, "Comida" se tornou uma das músicas mais emblemáticas do espírito da banda. Cantada por Arnaldo Antunes, foi o segundo *single* do disco e um sucesso nas rádios como uma nova forma de manifesto político e social anárquico, indo muito além dos slogans ideológicos e partidários, numa das melhores letras da década:

"A gente não quer só comida / a gente quer comida, diversão e arte."

E finalizando com os versos antológicos:

"A gente não quer só dinheiro / A gente quer dinheiro e felicidade / A gente não quer só dinheiro / A gente quer inteiro e não pela metade."

A nova democracia ampliava as demandas sociais, já não bastavam os velhos slogans políticos, era preciso querer o impossível.

Arnaldo Antunes (1960) tinha feito a primeira frase, a ideia-mãe, mas não conseguia avançar. Quando o grupo começou a trabalhar no repertório do novo álbum, mostrou a frase ao guitarrista Marcelo Fromer (1961-2001) e ao tecladista e cantor Sérgio Britto (1959), e juntos criaram a melodia e desenvolveram a letra. Como Britto relembrou no livro *Titãs: Todas as canções (1984-2001)*, num primeiro momento, eles acharam que a música tinha ficado meio monocórdica, e adicionaram novos versos e uma marcante frase musical no teclado. Na hora de gravar, tentaram até uma versão acústica, mas acertaram em cheio com um funk eletrônico pesado, produzido por Liminha e inspirado em Prince.

"Comida" foi uma das primeiras músicas de um grupo de rock adotadas por intérpretes de MPB, a partir de Marisa Monte, abrindo seu disco de estreia *MM* (1988), e depois foi cantada por Maria Bethânia, Ney Matogrosso e até pelo grupo de pagode Exaltasamba.

Em sua carreira solo, Cazuza foi mais político em suas letras, como nesse canto de amor e ódio à "grande pátria desimportante"

Brasil

Cazuza, George Israel e Nilo Romero, 1988

Escrita no calor da hora, como um desabafo contra os desmandos e ladroagens dos políticos naquele final conturbado dos anos 1980, "Brasil" continua mais atual do que nunca. O país pouco avançou em questões éticas e morais, a sua cultura política apodreceu e os escândalos se sucedem, cada vez maiores.

Talentoso, original e abusado, Cazuza foi o porta-voz da indignação nacional do momento, falando grosso e debochando das nossas misérias e da nossa impotência contra os vilões de sempre. Coloquial como se estivesse numa roda de bar, ele se colocava à margem da sociedade, barrado na "festa pobre" e condenado a consumir "a droga que já vem malhada / antes de eu nascer".

Com uma sucessão de imagens agressivas e dramáticas, montou um mosaico em que desencanto e deboche se juntam numa declaração de amor e ódio ao país, um retrato amargo de uma "grande pátria desimportante" que, apesar de tudo, ele não pretendia trair.

Parceria com o baixista e produtor Nilo Romero (1960) e com o saxofonista George Israel (1960), "Brasil" foi lançada no terceiro álbum solo de Cazuza, *Ideologia* (1988), quando ele já tinha sido diagnosticado como soropositivo e estava com as emoções à flor da pele, expressando seus sentimentos com a raiva e a liberdade dos que estão marcados para morrer.

Na sua fase final, a celebração dos excessos e do hedonismo foram trocados por reflexões amargas e desilusões contundentes sobre o Brasil, como na faixa-título do disco, em que pedia "uma ideologia, eu quero uma pra viver", ou na antológica "O tempo não para" (com Arnaldo Brandão):

"Tua piscina está cheia de ratos / tuas ideias não correspondem aos fatos / O tempo não para."

Regravada por Gal Costa, "Brasil" foi usada como tema de abertura da novela *Vale tudo*, da Rede Globo (1988), e levou dois troféus do Prêmio Sharp (que depois se tornou o Prêmio da Música Brasileira): Música do Ano e Composição Pop-Rock do Ano, e ainda o de Álbum Pop-Rock do Ano por "Ideologia".

Lanterna dos afogados

Herbert Vianna, 1989

Do pop adolescente de "Óculos" à pioneira fusão de rock, reggae, ritmos nordestinos e africanos de "Alagados", os Paralamas do Sucesso sinalizavam alta versatilidade e muito bom gosto desde a sua entrada em cena. Herbert Vianna ampliou e aprofundou essas características ao mergulhar fundo no mundo das baladas, fazendo em 10 minutos, enquanto andava de moto com a namorada, a bela e melancólica "Lanterna dos afogados", inspirada em um bar citado no romance *Jubiabá*, de Jorge Amado.

"Uma noite longa / Pra uma vida curta / Mas já não me importa / Basta poder te ajudar / Eu tô na lanterna dos afogados / Eu tô te esperando / Vê se não vai demorar."

A música foi lançada no álbum *Big bang* (1989), quinto dos Paralamas, mas o segundo que faziam reforçado nos palcos por um tecladista e um naipe de sopros. A instrumentação aumentada também foi levada aos estúdios, estimulando o guitarrista, cantor e principal compositor do grupo a navegar por melodias e harmonizações mais ousadas, além do então restrito universo do pop brasileiro.

Arnaldo Antunes, no texto de apresentação do disco, apontou-a como a canção-síntese de *Big bang*, ressaltando a proposta de dubiedade do verso "Eu tô na lanterna dos afogados", que viu como uma "fossa paradoxal", aliviada pela visão de uma "luz no túnel dos desesperados", com algo "entre a fossa e troça".

Consagrada pela crítica, "Lanterna dos afogados" também bateu no gosto do grande público e foi o principal sucesso do disco e uma das mais executadas do ano nas rádios brasileiras. Cinco anos depois, ganhou outra vigorosa interpretação, na voz rascante de Cássia Eller. E continuou no repertório de cantoras consagradas como Daniela Mercury, Gal Costa, Maria Gadú e Claudia Leitte, e até do grupo emo Fresno, que gravou uma versão emocionada, em 2010.

Melodista inspirado, Herbert Vianna explorou essa veia na balada que os Paralamas gravaram em seu quinto álbum

Lançada por Caetano no álbum *Estrangeiro*, "Meia lua inteira" revelou a musicalidade sem limites do baiano Carlinhos Brown

Meia lua inteira

Carlinhos Brown, 1989

Transbordante de instintiva musicalidade, Carlinhos Brown (1962) ficou conhecido nacionalmente a partir do sucesso de "Meia lua inteira", gravado por Caetano Veloso, com quem Brown trabalhava como percussionista de sua banda. Este samba-reggae, gênero em que o percussionista, multi-instrumentista, cantor, compositor, produtor e agitador cultural é um dos mestres, tinha passado em branco no álbum *Tambores urbanos*, do grupo carnavalesco baiano Chiclete com Banana, com nome "Capoeira lararâ". Um ano depois, já com o paradoxal e poético título de "Meia lua inteira", referência a um passo de capoeira, era uma das melhores faixas do poderoso álbum *Estrangeiro*, de Caetano Veloso, produzido pelo guitarrista americano Arto Lindsay e o tecladista suíço Peter Scherer, que ampliou a projeção internacional de Caetano. E também começou a espalhar o talento de Brown pelo mundo.

Aos 27 anos, o sensacional percussionista do grupo de Caetano já tinha uma década de intensa atividade na cena musical de Salvador, como instrumentista e como compositor de sucessos de Carnaval. Com o sucesso de "Meia lua inteira", Brown assinou contrato com a EMI para uma carreira solo e passou a ser gravado por muitos grandes intérpretes, como Maria Bethânia, Gal Costa, Paralamas do Sucesso, Cássia Eller, Daniela Mercury, Ivete Sangalo e Adriana Calcanhotto.

Brown também desenvolveu uma parceria bem-sucedida com Sérgio Mendes, tocando percussão, cantando e assinando cinco faixas de *Brasileiro*, premiado com o Grammy de Melhor Álbum de World Music em 1993.

Com muitos parceiros, Brown teve em Marisa Monte e Arnaldo Antunes os mais constantes – que formaram com ele o trio Tribalistas, de espetacular sucesso no Brasil e na Europa em 2002.

O estilo de Brown é marcado por suas "letras sonoras", que tem entre seus inventores Jorge Ben Jor, Luiz Melodia e Djavan, em que a sonoridade e o ritmo das palavras em sincronia com a música rompem com a tradição literária e, como onomatopeias, não formam frases e ideias, significam o que soam.

"Bimba birimba a mim que diga / Taco de arame, cabaça, barriga / São dim, dão, dão São Bento / Grande homem de movimento / Nunca foi um marginal."

O fino artesanato de Chico brilha nessa canção lançada no álbum *Paratodos*

Futuros amantes

Chico Buarque, 1993

Chico Buarque pode ter dezenas de músicas em qualquer lista de melhores, mas, para quem escolheu estas 101, esta é a sua canção mais bonita.

Um dos maiores clássicos do Chico Buarque maduro, lançado no álbum *Paratodos*, de 1993, quando completou 49 anos, "Futuros amantes" é uma deslumbrante canção de nítidas formas e inspiração jobinianas, uma bossa-nova lenta e melancólica, cantando o destino dos amores num futuro remoto, "milênios depois":

"E quem sabe, então / O Rio será / Alguma cidade submersa / Os escafandristas virão / Explorar sua casa / Seu quarto, suas coisas / Sua alma, desvãos."

Com fino artesanato e delicadeza de sentimentos, Chico montou uma canção para a eternidade, como se fosse a carta de um náufrago numa garrafa jogada ao mar. Quando foi lançada, alguns aficionados da MPB imaginaram que havia uma sutil homenagem a "Cidade submersa", o também lento samba que Paulinho da Viola havia escrito e gravado 20 anos antes. Mas na época do lançamento Chico contou que esta tinha sido a primeira imagem que lhe veio à cabeça quando começou a fazer a melodia no violão: "Eu tinha que ir atrás da explicação dessa cidade submersa. Aí eu coloquei os escafandristas, e surgiu a história de um amor adiado, um amor que fica para sempre", explicou numa entrevista em um documentário dirigido por Roberto de Oliveira.

Homenagem inconsciente ou não, o restante da letra e a melodia de "Futuros amantes" realmente seguem caminhos bem diferentes dos trilhados por Paulinho em seu samba. Dois anos após o autor apresentá-la ao mundo em *Paratodos*, foi a vez de Gal Costa fazer outra impecável gravação, no álbum *Mina d'água do meu canto*, com repertório dividido entre composições de Chico e Caetano Veloso.

Resposta ao tempo

Cristóvão Bastos e Aldir Blanc, 1998

Como o resto do mundo, o Brasil não ficou imune à invasão do bolero, que nasceu em Cuba, no início do século XX, e, a partir dos anos 1940, se espalhou pela América Latina, tendo grande influência no samba-canção, até o surgimento da bossa nova, quando começou a perder espaço como "cafona". Mas o "dois pra lá, dois pra cá" de João Bosco e Aldir Blanc sempre tem vez na MPB, como "Resposta ao tempo", lançado em 1998 por Nana Caymmi no álbum de mesmo nome, que virou um fenômeno de execução nas rádios brasileiras. Escolhida para ser o tema de abertura da minissérie *Hilda Furacão*, a gravação também se transformou no maior sucesso popular de Nana, uma diva até então restrita a um público mais sofisticado.

Aldir Blanc já tivera algumas boas experiências com o gênero em suas parcerias com João Bosco, geralmente exercendo o seu habitual e corrosivo humor, mas no bolero com o pianista e arranjador carioca Cristóvão Bastos (1947) preferiu explorar um lirismo profundo em forma de um diálogo com o tempo.

"E o tempo se rói / Com inveja de mim / Me vigia querendo aprender / Como eu morro de amor / Pra tentar reviver."

A música, a letra e a interpretação apaixonada de Nana fizeram de "Resposta ao tempo" a canção ideal para a minissérie baseada no romance do escritor mineiro Roberto Drummond. A letra de Aldir não faz menção alguma ao enredo ou a personagens – a história de uma jovem da sociedade que troca um casamento seguro pela prostituição na Belo Horizonte dos anos 1950 –, mas, em suas reflexões sobre o tempo e a existêcia, são muitos os pontos de contato com a história.

Essas impressões e sensações são reforçadas pela melodia e pelo belíssimo arranjo de Cristóvão Bastos, que, como compositor, tem parcerias também com Chico Buarque, Paulo César Pinheiro, Paulinho da Viola, Abel Silva e Elton Medeiros.

Lançado com a insuperável gravação de Nana, "Resposta ao tempo" virou um clássico que não parou de atrair outras grandes vozes, como Milton Nascimento, Leila Pinheiro, Simone e Fafá de Belém.

Nana Caymmi lançou o bolero contemporâneo e atemporal da dupla Cristóvão Bastos e Aldir Blanc

Principal estrela do gênero no século XXI, Zeca Pagodinho emplacou esse samba em 2002

Deixa a vida me levar

Serginho Meriti e Eri do Cais, 2002

Desde que o samba é samba os sambistas reclamam de preconceito e perseguição. No início, eram vistos como vagabundos e marginais pela sociedade e pela polícia. Mas, já a partir dos anos 1930, o gênero conquistou grande espaço no gosto popular por ser a perfeita expressão do jeito brasileiro de viver e de sentir. E por estar sempre em movimento.

"O samba está morrendo", "Querem acabar com o samba", "O samba não pode morrer", queixavam-se muitos bambas. Mas ele resiste sempre: desde os anos 1940 com o samba-exaltação nacionalista, passando pelo samba-canção dos anos 1950, pela bossa nova dos 1960, pelo samba-rock e pelo samba-soul nos 1970 ou pelo samba-rap nos anos 1990, ele sobrevive, se transforma e cresce.

Tanto que grandes revelações dos anos 2000, Maria Rita, Diogo Nogueira, Seu Jorge, Roberta Sá, são estreitamente ligadas ao sucesso e à modernização do samba.

Com sua alegria, seu suingue e sua verve malandra e carioca, Zeca Pagodinho se tornou a melhor encarnação do gênero no terceiro milênio, unindo o samba clássico ao contemporâneo para expressar os sentimentos dos brasileiros em linguagem popular.

Em 2002, com o país crescendo em democracia e liberdade e vivendo um grande clima de otimismo nacional, Zeca transformou em um estrondoso sucesso "Deixa a vida me levar", de Serginho Meriti e Eri do Cais. Com sua letra que retratava a luta e a esperança cotidiana do povo e um refrão que tomou conta do país, o samba entrou para a história como o hino do pentacampeonato da Seleção brasileira no Japão.

"Se a coisa não sai do jeito que eu quero / Também não me desespero / O negócio é deixar rolar / E aos trancos e barrancos lá vou eu! / E sou feliz e agradeço por tudo que Deus me deu..."

No único disco dos Tribalistas, lançado em 2003, Carlinhos Brown (à esquerda), Marisa Monte e Arnaldo Antunes uniram seus talentos

Velha infância

Arnaldo Antunes, Carlinhos Brown, Marisa Monte, Davi Moraes e Pedro Baby, 2003

A carioca Marisa Monte (1967) e o baiano Carlinhos Brown surgiram – junto com Cássia Eller, Ed Motta e Adriana Calcanhotto – como as melhores novidades da MPB nos anos 1990. Originais, talentosos, independentes e muito diferentes entre si, os dois se tornaram parceiros com a belíssima "Segue o seco", gravada por Marisa em 1994, um grande sucesso de público e de crítica.

Desde o início triunfal de sua carreira, aos 20 anos, com o megassucesso "Bem que se quis" (versão de Nelson Motta de "E pò che fà", do italiano Pino Daniele) e a extraordinária regravação de "Comida", dos Titãs, Marisa se aproximou de Arnaldo Antunes, que foi seu primeiro parceiro quando ela começou sua carreira de autora em seu segundo disco, com a canção "Beija eu" (1990) e seguiu como seu principal parceiro, ao lado de Brown, até hoje.

O paulistano Arnaldo Antunes surgiu como compositor e *frontman* dos Titãs nos anos 1980 e dez anos depois era considerado o melhor letrista de sua geração. Com o início de sua carreira solo em 1992, começou a compor com vários parceiros, e uma das mais frequentes e de mais sucesso foi Marisa Monte, pela perfeita sincronia que encontravam entre letra e música.

Em 2002, juntando suas diferentes origens, formações e estilos, a carioca, o paulista e o baiano criaram os Tribalistas e produziram o maior sucesso do ano no Brasil e um dos discos brasileiros de maior sucesso na França, na Itália, em Portugal, na Espanha e na Argentina em 2003, mesmo sem fazerem nenhuma apresentação pública ou entrevista do grupo.

O extraordinário sentido rítmico e popular de Brown se uniu à musicalidade de Marisa, desenvolvida no jazz, no samba e na música clássica, e à inteligência poética clássica e vanguardista de Arnaldo para criar a melhor síntese da MPB do terceiro milênio com os Tribalistas.

Entre grandes sucessos do disco, como "Já sei namorar", "Carnavália", "Um a um", "O amor é feio", o maior foi "Velha infância". Além dos três Tribalistas, foram coautores os guitarristas Davi Moraes (filho de Moraes Moreira) e Pedro Baby (filho de Pepeu Gomes), numa síntese de quatro décadas de música brasileira e como expressão do espírito de brincadeira entre amigos que inspirou o disco.

"E a gente canta / E a gente dança / E a gente não se cansa / De ser criança / A gente brinca / Na nossa velha infância."

Disposto a ir além
do rap americano,
Marcelo D2 buscou
no samba a batida
perfeita para sua
explosiva mistura

À procura da batida perfeita

Marcelo D2 e Davi Corcos, 2003

Desde o Planet Hemp, que ajudou a criar em 1993, Marcelo D2 vinha fazendo uma mistura certeira de rap e punk rock com forte sotaque carioca e uma incendiária mensagem pela liberação da maconha, com grande sucesso popular e algumas prisões.

Mas foi em seu segundo disco solo, *À procura da batida perfeita*, lançado em 2003, que o MC carioca Marcelo Maldonado Peixoto (1967) deu seu pulo do gato. A canção-título é uma espécie de carta de intenções da nova vertente em que ele passou a investir, fundindo rap com samba e outros ritmos brasileiros.

Sigla em inglês para "ritmo e poesia", o rap nasceu na periferia de Nova York em fins dos anos 1970 e se espalhou como rastilho de pólvora pelos grandes centros urbanos do mundo. Embora Jair Rodrigues tenha gravado, ainda nos anos 1960, o samba-rap "Deixa isso prá lá", no Brasil, os primeiros representantes autênticos surgiram em São Paulo, nos anos 1980, como a dupla Thaíde e DJ Hum e depois os radicais Racionais MC's.

Mas foi com a malandragem e o balanço cariocas de Marcelo D2 que o gênero ganhou sonoridade e sotaque diferenciado e se espalhou pelo Brasil. Enquanto o rap paulista era mais pesado e agressivo, o carioca era mais leve e suingado e com uma temática libertária e hedonista de sexo e drogas. Os sinais disso já estavam em seu primeiro álbum solo, *Eu tiro é onda* (1998), em que usou *samples* de gravações brasileiras, incluindo a de Baden Powell para "Canto de Ossanha", mas foi em "À procura da batida perfeita" que D2 acertou na alquimia.

Composta em parceria com o tecladista e produtor Davi Corcos (1977), a música usa como base uma gravação de Luiz Bonfá, "Bonfa nova", com D2 explorando as semelhanças entre o canto-fala de MCs e de partideiros, o *scratch* funcionando como uma cuíca e o peso e a cadência do bumbo valorizando tanto o rap como o samba. Sem ligar para as cobranças de puristas do samba e do rap, criou seu "chiclete com banana" do terceiro milênio, saudando "os arquitetos da música brasileira" e apontando um novo caminho para o rap nacional.

A pergunta sem resposta é: por que, com a riqueza rítmica da música brasileira e a tradição do partido-alto e dos cantadores nordestinos, demorou tanto a aparecer um rap com base rítmica brasileira?

Após o lançamento de "À procura da batida perfeita", herdeiros de Luiz Bonfá ameaçaram abrir um processo de plágio, mas não foram em frente. Além da cada vez mais controversa questão de autoria na era dos *samples*, nessa música a discussão prometia render muito mais. Afinal, a melodia de "Bonfa nova" lembra muito a de "Saudade fez um samba", de Carlos Lyra e Ronaldo Bôscoli, lançada por João Gilberto em seu primeiro LP, em 1959, enquanto a de Bonfá saiu num disco que o violonista fez em 1962, o LP *Brazil's King of Bossa Nova and Guitar*.

Posfácio

BÔNUS TRACK

As 101 melhores, ou mais bonitas, ou mais importantes canções brasileiras não existem.

Podem-se fazer várias listas de 101 canções, umas tão boas quanto outras, por gênero, por época, por importância histórica ou sucesso popular, além da excelência melódica, harmônica, rítmica e poética. Poderiam ser até 1.001, tal a criatividade e a diversidade dos compositores brasileiros nos últimos 101 anos.

Uma das grandes qualidades da música brasileira é a variedade inigualável de gêneros, estilos, ritmos e misturas musicais, de Belém a Porto Alegre, em épocas distintas e sob múltiplas influências, que representam nossa diversidade étnica e cultural. Entre as inúmeras canções lindas, alegres, dramáticas, românticas, divertidas, trágicas, políticas, sociais, dos mais variados ritmos e estilos, que se tornaram populares e marcaram seu tempo, algumas tocaram especialmente o Brasil, nos nossos melhores e piores momentos, e se tornaram trilha sonora de nossa história pessoal e coletiva.

Mas listas de músicas que marcam a vida de cada um são como impressões digitais: não há duas iguais. Das que mais tocaram o coração do Brasil, estas 101 estão entre as mais bonitas, populares, importantes e originais. Mas muitas outras, que não cabem em um só livro, também formam uma riquíssima coleção de canções de vários estilos e gerações.

Bastaria a obra musical de Tom Jobim, de Dorival Caymmi, de Ary Barroso, de Noel Rosa ou de Chico Buarque para compor uma lista inestimável de mais bonitas, mais importantes, mais originais. Porém há muitas outras, além das já citadas nas informações sobre a obra dos compositores das 101: a maior qualidade da música brasileira é sua diversidade.

Grandes músicas que marcaram o coração do Brasil, como "É o amor", de Zezé di Camargo, megassucesso sertanejo nos anos

1990 e depois gravada por Maria Bethânia; sucessos eternos da Jovem Guarda, como "Vem quente que eu estou fervendo" e "O bom", de Eduardo Araújo e Carlos Imperial, e "Negro gato", de Getúlio Côrtes; belas canções do estilo romântico popular que foi chamado de brega, como "Sonhos" e "Sozinho", de Peninha, e "Dia de domingo" e "Me dê motivo", de Sullivan e Massadas, também fizeram história.

Entre tantas tão boas, não faltam grandes clássicos do samba-canção, como "Molambo" (Jaime Florence e Augusto Mesquita), "Saia do caminho" (Custódio Mesquita e Evaldo Rui), "Chuvas de verão" (Fernando Lobo), "Canção de amor" (Chocolate e Elano de Paula), "Chove lá fora" (Tito Madi), e os mais recentes "Beijo partido" (Toninho Horta), "Jura secreta" (Suely Costa e Abel Silva) e "Simples carinho" (João Donato e Abel Silva).

O mundo do samba também contribui com incontáveis clássicos. Entre eles, destacam-se "Jura" e "Gosto que me enrosco" (Sinhô), "Agora é cinza" (Bide e Marçal), "Antonico" e "Contrastes" (Ismael Silva), "Mulata assanhada" e "Na cadência do samba" (Ataulfo Alves), "Falsa baiana" e "Escurinho" (Geraldo Pereira), "Segredo" e "Ave Maria no morro" (Herivelto Martins), "De conversa em conversa" (Lúcio Alves e Haroldo Barbosa) e "Pra que discutir com madame?" (Haroldo Barbosa e Janet Almeida), "Camisa listrada" (Assis Valente), "Canta Brasil" (Alcyr Pires Vermelho e David Nasser), "Adeus América" (Geraldo Jacques e Haroldo Barbosa), "A fonte secou" (Monsueto Menezes, Raul Moreno e Marcléo), "Volta por cima" (Paulo Vanzolini), "Senhora liberdade" e "Coisa da antiga" (Wilson Moreira e Nei Lopes), "Vou festejar" (Jorge Aragão, Dida e Neoci) e "O samba é meu dom" (Wilson das Neves e Paulo César Pinheiro).

As marchinhas de Carnaval são um capítulo especial da música brasileira, fazendo crônica social e crítica de costumes com alegria e humor em clássicos como "Alá-lá-ô" (Haroldo Lobo e Antônio Nássara), "Yes, nós temos bananas" e "Jardineira" (João de Barro), "Sassaricando" (Jota Júnior, Luís Antônio e Oldemar Magalhães), "Balzaquiana" (Nássara e Wilson Batista), "Marcha do gago" (Armando Cavalcanti e Klécius Caldas), até "Folia no matagal" (Eduardo Dussek e Luis Carlos Góes).

São muitas as canções imortais da bossa nova, não só de Tom Jobim, mas de Carlos Lyra ("Você e eu", "Sabe você" e "Coisa mais linda", com Vinicius de Morais, e "Se é tarde me perdoa",

"Saudade fez um samba" e "Lobo bobo", com Bôscoli), de Roberto Menescal ("Nós e o mar", "Ah, se eu pudesse" e "Rio", com Ronaldo Bôscoli, e "Bye Bye Brasil", com Chico Buarque), de Luiz Bonfá ("Manhã de Carnaval", com Antônio Maria), do grande estilista João Donato ("Naquela estação", com Caetano Veloso e Ronaldo Bastos, "A Paz", com Gilberto Gil, "Brisa do mar", com Chico Buarque).

A tradição romântica brasileira emociona e encanta com valsas e modinhas, desde "Linda Flor" (Henrique Vogeler, Luiz Peixoto Marques Porto) e "Casinha pequenina" (autor desconhecido, 1906), a clássicos de Custódio Mesquita, como "Nada além" (com Mário Lago) e "Mulher" (com Sady Cabral). E tantas outras, como "Boa noite amor" (José Maria de Abreu e Francisco Matoso), "Lábios que beijei" (J Cascata e Leonel Azevedo), "Curare" (Bororó), "Eu sonhei que tu estavas tão linda" (Lamartine Babo), "Nova ilusão" (José Menezes e Luiz Bittencourt), "Vida de bailarina" (Chocolate e Américo Seixas), "A saudade mata a gente" (João de Barro e Antônio Almeida) e "Começar de novo" (Ivan Lins e Vitor Martins).

A obra de Roberto e Erasmo Carlos, os maiores *hitmakers* da nossa história, em sua diversidade de temas e estilos, constitui-se, por si só, em uma trilha sonora dos sentimentos brasileiros de várias gerações, com canções de alta qualidade como "Além do horizonte", "Do fundo do meu coração", "Café da manhã", "Cavalgada", "Jesus Cristo", "Sua estupidez", "Amada amante", "O portão", "As curvas da estrada de Santos", "Se você pensa", "Sentado à beira do caminho"... São tantas emoções, há tanto tempo.

Além dos clássicos já listados, o rock brasileiro também produziu grandes músicas que marcaram época com humor, alegria e irreverência, desde "Ando meio desligado", dos Mutantes, e "Metamorfose ambulante", de Raul Seixas, aos seminais Blitz ("Você não soube me amar", de Evandro Mesquita, Ricardo Barreto, Guto Barros e Zeca Mendigo) e Gang 90 e as Absurdettes, de Júlio Barroso ("Perdidos na selva", com Guilherme Arantes), "Corações psicodélicos" (com Lobão) e "Nosso louco amor" (com Herman Torres). Destacam-se ainda o RPM de Paulo Ricardo e Luiz Schiavon ("Louras geladas"); Lobão com "Vida bandida" e "Chorando no Campo" (com Bernardo Vilhena), "Décadence avec élégance" e "Nostalgia da modernidade", uma fabulosa mistura de samba e rock pesado; Léo Jaime ("Rock da cachorra"),

Ritchie e Bernardo Vilhena ("Menina veneno"), e Cazuza, que começou no rock e fez o que quis do jeito que quis ("O tempo não para", com Arnaldo Brandão, "Faz parte do meu show", com Renato Ladeira, "Maior abandonado" e "Blues da piedade", com Roberto Frejat, e "Eu preciso dizer que te amo", com Dé Palmeira e Bebel Gilberto).

A moderna canção nordestina produziu pérolas como "À primeira vista", de Chico César, "É d'Oxum", de Gerônimo, "Anunciação" e "Vou danado pra Catende", de Alceu Valença, e "Canção da despedida", de Geraldo Vandré e Geraldo Azevedo. Acrescentam-se ainda clássicos na voz de Dominguinhos, como "De volta pro aconchego" (com Nando Cordel) e "Só quero um xodó" (com Anastácia), até "Paciência" (Lenine) e "Esperando na janela" (Targino Gondim).

E frevos que incendiaram as ruas: de "Evocação", de Nelson Ferreira, a "Frevo mulher", de Zé Ramalho, "Festa do interior", de Moraes Moreira e Abel Silva, e "Banho de cheiro", de Carlos Fernando.

Das modinhas e choros ao funk e o tecnobrega, a música brasileira acompanha os movimentos do país com canções que contam a história de um tempo e dos sentimentos dos brasileiros com qualidade, quantidade e diversidade.

– *Nelson Motta*

Crédito das imagens

10 Partirura "Composições para piano por Francisca H. N. Gonzaga", sem data. Coleção Chiquinha Gonzaga/ Acervo Instituto Moreira Salles

10 Chiquinha Gonzaga aos 29 anos, 1877. FMIS/RJ

12 Partitura "Pelo Telephone: samba carnavalesco de grande sucesso por Ernesto do Santos (Donga)", sem data. Coleção José Ramos Tinhorão/ Acervo Instituto Moreira Salles

12 Selo 78 rpm "Pelo Telephone", 1916. Coleção José Ramos Tinhorão/Acervo Instituto Moreira Salles

14 Partitura "O teu cabelo não nega", sem data. Coleção José Ramos Tinhorão/Acervo Instituto Moreira Salles

14 Lamartine Babo, 1962. Arquivo O Cruzeiro/EM/D.A Press

16 Vadico, sem data. Arquivo JCom/D.A Press

16 Noel Rosa, sem data. FMIS/RJ

19 Carmem Miranda, 1940. Arquivo O Cruzeiro/EM/D.A Press

19 Sinval Silva, sd. FMIS/RJ

21 Aracy de Almeida, sem data. Folhapress

22 Selo 78 rpm "Carinhoso", 1937. FMIS/RJ

22 Orlando Silva, 1956. Arquivo JCom/D.A Press

24 Pixinguinha, sem data. FMIS/RJ

24 Selo 78 rpm "Rosa", 1937. FMIS/RJ

26 Selo 78 rpm "Na baixa do sapateiro", 1938. FMIS/RJ

26 Ary Barroso, sem data. FMIS/RJ

28 Bororó, 1955. FMIS/RJ

28 Selo 78 rpm "Da cor do pecado", 1939. FMIS/RJ

31 Selo 78 rpm "Aquarela do Brasil", 1939. FMIS/RJ

31 Ary Barroso, sem data. FMIS/RJ

32 Assis Valente e Carmem Miranda, sem data. FMIS/RJ

32 Capa LP *Acabou Chorare*, 1972. FMIS/RJ

35 João Gilberto, 1962. FMIS/RJ

35 Selo 78 rpm "Aos pés da Cruz", 1942. FMIS/RJ

36 Anjos do Inferno, sem data. Kurt Borowik/FMIS/RJ

36 Selo 78 rpm "Rosa Morena", 1942. FMIS/RJ

38 Ary Barroso, Tom Jobim, Ronaldo Bôscoli e Carlos Lyra, 1960. Indalécio Wanderley/O Cruzeiro/ EM/D.A Press

41 Dorival Caymmi, sem data. Arquivo Nacional/Fundo Correio da Manhã

41 Selo 78 rpm "Dora", 1945. FMIS/RJ

42 Dick Farney, sem data. Arquivo Nacional/Fundo Correio da Manhã

42 Selo 78 rpm "Copacabana", 1946. FMIS/RJ

44 Selo 78 rpm "Asa Branca", 1947. FMIS/RJ

44 Luiz Gonzaga, 1957. Arquivo Nacional/Fundo Correio da Manhã

46 Dorival Caymmi, sem data. FMIS/RJ

46 Selo 78 rpm "Marina", 1947. FMIS/RJ

48 Lupicínio Rodrigues, sem data. FMIS/RJ

48 Selo 78 rpm "Nervos de Aço", 1947. FMIS/RJ

50 Dorival Caymmi, 1955. Arquivo / Agência O Globo

50 Selo 78 rpm "João Valentão", 1953. FMIS/RJ

52 Zé Keti, sem data. FMIS/RJ

54 Elizete Carodso, 1965. Arquivo/ Estadão Conteúdo

54 Nelson Cavaquinho, 1965. Evandro/FMIS/RJ

56 Selo 78 rpm "Saudade da Bahia", 1957. FMIS/RJ

56 Capa do LP *Eu vou pra Maracangalha*, 1957. FMIS/RJ

59 Tom Jobim, Vinicius de Moraes, João Gilberto e Os Cariocas, 1962. FMIS/RJ

60 Tom Jobim e Vinicius de Moraes, 1962. FMIS/RJ

63 Tom Jobim, 1959. Paulo Namorado/O Cruzeiro/EM/D.A Press

64 Jackson do Pandeiro, 1958. Arquivo Nacional/Fundo Correio da Manhã

67 Jonnhy Alf, 1971. Arquivo Nacional/ Fundo Correio da Manhã

69 Vinicius de Moraes e Baden Powell, 1964. Henri Ballot/O Cruzeiro/EM/D.A Press

71 Astrud Gilberto, 1965. Arquivo O Jornal/JCom/D.A Press

72 Tom Jobim e Vinicius de Moraes no Bar Veloso, atual Garota de Ipanema. Paulo Scheuenstuhl/ Instituto Tom Jobim

73 Frank Sinatra e Tom Jobim. NBC/ Getty Images

75 Jorge Ben, 1969. Arquivo/Agência O Globo

76 D. Zica e Cartola, 1975. Antônio Carlos Miguel

76 Nara Leão, 1965. Arquivo Nacional/ Fundo Correio da Manhã

78 Carlos Lyra, 1974. FMIS/RJ

78 Capa do LP *Pobre menina rica*, 1964. Divulgação internet

80 Adoniran Barbosa, 1971. Sílvio Correa/Agência O Globo

80 Capa do LP *Trem das 11*, 1964. FMIS/RJ

80 Adoniran e Demônios da Garoa, 1968. Acervo UH/Folhapress

83 Nara Leão com Zé Keti ao seu lado, Paulinho da Viola ao violão e atrás de óculos Elton Medeiros. Estudantina Musical, na Praça Tiradentes, 1964. Arquivo/Agência O Globo

83 Capa do LP *Roda de samba*, 1965. Divulgação internet

84 Marcos Valle, 1965. Arquivo/Agência O Globo

86 Marcos e Paulo Sergio Valle, 1971. Jorge Peter/Agência O Globo

86 Capa do LP *O Compositor e o cantor*, 1965. FMIS/RJ

88 Baden Powell e Vinicius de Moraes, 1965. Arquivo/Agência O Globo

88 Capa do LP *Os afro-sambas na voz de Baden e Vinicius*, 1966. FMIS/RJ

91 Gilberto Gil, 1967. Arquivo Nacional/Fundo Correio da Manhã

92 Capa do LP *Milton Nascimento*, 1967. Divulgação internet

92 Milton Nascimento, 1967. Arquivo/ Agência O Globo

94 Tom Jobim ao piano, 1964. Orlando Suero/O Cruzeiro/EM/D.A Press

94 Capa do LP *Antonio Carlos Jobim: Wave*, 1968. Divulgação internet

97 Geraldo Vandré, 1968. Arquivo Nacional/Fundo Correio da Manhã

97 Peace March, Washington, 1967. Marc Riboud / Magnum/Magnum Photos/Latinstock

98 Gilberto Gil, 1972. Arquivo Nacional/Fundo Correio da Manhã

100 Wilson Simonal em show, 1969. Arquivo O Cruzeiro/EM/D.A Press

102 Paulinho da Viola, sem data. FMIS/RJ

104 Parada Militar de Sete de Setembro. Brasília, 1970. Orlando Brito

106 Chico Buarque, sem data. FMIS/RJ

106 Capa do LP *Construção*, 1971. FMIS/RJ

108 Roberto Carlos, 1971. Arquivo/ CB/D.A Press

108 Capa do LP *Roberto Carlos*, 1971. FMIS/RJ

111 Tim Mais, 1972. Arquivo Nacional/ Fundo Correio da Manhã

111 Capa do LP *Tim Maia*, 1971. Divulgação internet

112 Vinicius de Moraes e Toquinho, 1972. Ronald Fonseca/Agência O Globo

112 Capa do LP *Como diz o poeta - Música nova - Vinicius de Moraes, Marilia Medalha e Toquinho*, 1971. Divulgação internet

114 Milton Nascimento, Lo Borges e Ronaldo Bastos, sem data. Arquivo/EM/D.A Press

114 Capa do LP *Clube da Esquina*, 1972. FMIS/RJ

117 Elis Regina e Tom Jobim, 1974. Sergio Araki/Estadão Conteúdo

117 Capa do LP *Elis & Tom*, 1974. FMIS/RJ

119 Luis Melodia, sem data. FMIS/RJ

120 Beth Carvalho e Nelson Cavaquinho, sem data. FMIS/RJ

123 Raul Seixas, 1972. Arquivo Nacional/Fundo Correio da Manhã

123 Capa do LP *Krig-Ha Bandolo*, 1973. FMIS/RJ

124 Raul Seixas, 1973. Arquivo/Agência O Globo

126 Jorge Mautner e Nelson Jacobina, 1985. Antonio Andrade/Agência O Globo

126 Capa do LP *Jorge Mautner*, 1974. Divulgação internet

129 Capa do LP *Cuban Soul*, 1976. Acervo Antônio Carlos Miguel

131 Maria Bethania, 1971. Arquivo Nacional/Fundo Correio da Manhã

132 Cartola no show Zicartola, 1975. Kenji Honda/Estadão Conteúdo

134 Cartola, 1975. Antônio Carlos Miguel

136 Belchior, sem data. FMIS/RJ

138 Capa do LP *Guilherme Arantes*, 1976. FMIS/RJ

140 Paulinho da Viola, 1971. Arquivo/ Agência O Globo

143 Renato Teixeira e Dominguinhos no Festival da Música Popular Brasileira, MPB 81, 1981. Adir Mera/Agência O Globo

145 Frenéticas, sem data. Carlos Ivan/ FMIS/RJ

145 Capa do LP *Caia na gandaia*, 1978. FMIS/RJ

146 Caetano Veloso, 1972. Arquivo Nacional/Fundo Correio da Manhã

148 Cartano Veloso, 1978. Arquivo/ Estadão Conteúdo

150 Caetano Veloso, sem data. Thereza Eugenia/FMIS/RJ

150 Capa do LP *Muito*, 1978. FMIS/RJ

152 Capa do LP *Sambas de enredo*, 1978. FMIS/RJ

152 Desfile "O amanhã", União da Ilha, 1978. Sebastião Marinho/ Agência O Globo

155 Capa do LP *Álibi*, 1979. FMIS/RJ

155 Gonzaguinha, sem data. Wilton Montenegro/FMIS/RJ

156 Capa do LP *Gal Tropical*, 1979. FMIS/RJ

158 João Bosco, 1976. Kenji Honda/ Estadão Conteúdo

158 Elis Regina, 1977. Gerson Schirmer/Agência O Globo

160 Dona Ivone Lara, 1978. Antônio Carlos Miguel

162 Rita Lee e Roberto de Carvalho, 1977. Antônio Carlos Miguel

162 Rita Lee, 1977. Antônio Carlos Miguel

162 Capa do LP *Rita Lee*, 1979. FMIS/RJ

164 Capa do LP *Peleja do diabo com o dono do céu*, 1980. FMIS/RJ

166 Djavan, 1981. Arquivo/Estadão Conteúdo

166 Capa do LP *Alumbramento*, 1980. FMIS/RJ

168 Capa do LP *Roberto Carlos*, 1981. FMIS/RJ

168 Roberto Carlos em show no Canecão, 1981. Arquivo/Estadão Conteúdo

170 Lulu Santos, sem data. Antonio Guerreiro/FMIS/RJ

170 Capa do LP *O ritmo do momento*, 1982. Divulgação internet

172 Roberto Carlos, 1984. Arquivo/ Agência O Globo

172 Capa do LP *Roberto Carlos*, 1982. FMIS/RJ

174 Gonzaguinha, sem data. Wilton Montenegro/FMIS/RJ

174 Capa do LP *Caminhos do coração*, 1982. FMIS/RJ

176 Capa do LP *Luz*, 1982. FMIS/RJ

179 Capa do LP *O grande circo místico*, 1983. FMIS/RJ

179 Edu Lobo, sem data. FMIS/RJ

180 Capa do LP *Milton Nascimento - Ao vivo*, 1983. FMIS/RJ

180 Wagner Tiso, 1981. Olivio Lamas/ Agência O Globo

183 Capa do LP *Barão Vermelho 2*, 1983. FMIS/RJ

183 Barão Vermelho, 1983. Frederico Mendes

184 Ultraje a Rigor, sem data. Calil Elias Neto/FMIS/RJ

184 Capa do LP *Nós vamos invadir sua praia*, 1985. FMIS/RJ

186 Marina, 1988. Luiz Carlos Caversan/Folhapress

186 Capa do LP *Fullgás*, 1984. Divulgação internet

188 Capa do LP *Ronaldo foi pra guerra*, 1984.Divulgação internet

188 Lobão e os Ronaldos, sem data. Arquivo CB/D.A Press

190 Legião Urbana, sem data. Flavio Colker/FMIS/RJ

192 Capa do LP *Selvagem*, 1986. Divulgação internet

192 Paralamas do Sucesso, 1985. Nem de Tal/Estadão Conteúdo

195 Monarco, sem data. Sergio Araujo/FMIS/RJ

194 Capa do LP *Zeca Pagodinho*, 1986. FMIS/RJ

196 Titãs, sem data. Vânia Toledo/ FMIS/RJ

196 Capa do LP *Jesus não tem dentes no país dos banguelas*, 1988. FMIS/RJ

198 Capa do LP *Ideologia*, 1988. FMIS/RJ

198 Cazuza, show no Canecão, 1988. Eurico Dantas/Agência O Globo

201 Capa do LP *Big Bang*, 1989. FMIS/RJ

201 Herbert Vianna, 1986. Antônio Carlos Miguel

202 Carlinhos Brown, 1993. Paulo Giandalia/Folhapress

202 Capa do LP *Estrangeiro*, 1989. FMIS/RJ

204 Capa do LP *Paratodos*, 1993. FMIS/RJ

204 Chico Buarque, 1994. Carlos Moura/CB/D.A Press

207 Capa do CD *Resposta ao tempo*, 1998. Divulgação internet

208 Zeca Pagodinho, 2005. Wilton Junior/Estadão Conteúdo

208 Capa do CD *Deixa a vida me levar*, 2002. Divulgação internet

210 Tribalistas, 2003. Valter Pontes/ Estadão Conteúdo

210 Capa do CD *Tribalistas*, 2003. Divulgação internet

212 Marcelo D2, 2003. Tuca Vieira/ Folhapress

ESTAÇÃO BRASIL

Estação Brasil é o ponto de encontro dos leitores que desejam redescobrir o Brasil. Queremos revisitar e revisar a história, discutir ideias, revelar as nossas belezas e denunciar as nossas misérias. Os livros da *Estação Brasil* misturam-se com o corpo e a alma de nosso país, e apontam para o futuro. E o nosso futuro será tanto melhor quanto mais e melhor conhecermos o nosso passado e a nós mesmos.